Il était une fois...

Marcel
Pagnol

par Raymond Castans   Julliard

Il était une fois...
Marcel Pagnol

par Raymond Castans

Julliard

La loi du 11 mars 1957 n'autorisant, aux termes des alinéas 2 et 3 de l'article 41, d'une part, que les « copies ou reproductions strictement réservées à l'usage privé du copiste et non destinées à une utilisation collective » et, d'autre part, que les analyses et les courtes citations dans une but d'exemple et d'illustration, « toute représentation ou reproduction intégrale, ou partielle, faite sans le consentement de l'auteur ou de ses ayants droit ou ayants cause, est illicite » (alinéa 1er de l'article 40).

Cette représentation ou reproduction, par quelque procédé que ce soit, constituerait donc une contrefaçon sanctionnée par les articles 425 et suivants du Code pénal.

© Julliard, 1978.

N° éditeur : 4492.

ISBN : 2-260-00133-5

1

La naissance,
l'enfance et l'adolescence

Marcel Pagnol aimait raconter qu'à la mi-février 1935, il avait reçu à Marseille, posté à La Ciotat, le télégramme suivant : « Comptons sur vous jeudi 28 pour fêter quarantième anniversaire. Amitiés. Louis Lumière. »

Pagnol avait été charmé de cette attention délicate et plus encore flatté de découvrir que le grand Louis Lumière, qu'il admirait tant, connaissait aussi sa date de naissance. A son arrivée chez l'inventeur célèbre, Pagnol avait trouvé Louis Gaumont. Il avait aussitôt compris sa méprise. Ce n'était pas le quarantième anniversaire de Marcel Pagnol qu'on fêtait, mais celui du cinéma. C'était ainsi : le 28 février 1895, le jour même où, à La Ciotat, sa mère ressentant les premières douleurs de l'enfantement avait voulu immédiatement partir pour Aubagne, dans la même petite ville des environs de Marseille, Louis Lumière projetait le premier film de cinéma.

« *Le cinéma et moi sommes nés le même jour, au même endroit* », rappelait Pagnol volontiers. Il y voyait, bien sûr, un signe.

Mais, parvenu aux faîtes des honneurs et de la réussite − reconnu partout comme l'un des maîtres du cinéma et alors que l'on croyait son œuvre achevée −, Marcel Pagnol − la soixantaine passée − publie ses *Souvenirs d'Enfance*. On découvre alors que son inspiration, Pagnol l'a puisée toute sa vie dans les aventures de ses jeunes années, dans les rues qui sentent l'anis de l'exubérante Marseille ou sur ses quais bruyants dans l'odeur forte des épices apportées de l'autre bout du monde, à la table familiale en écoutant Joseph Pagnol son père, l'instituteur exemplaire, ou en fréquentant sous les voûtes fraîches du vieux lycée Thiers, les grands maîtres classiques. Il l'a puisée surtout dans le souvenir de ses vacances enchantées, où il suivait les petits paysans de Provence − ses camarades − dans les collines de l'Etoile, aux heures où la canicule les embaume de ces mille parfums subtils qui montent à la tête et qui font rêver. Là, Pagnol, auteur dramatique, cinéaste, écrivain, a découvert une source qui ne s'est jamais tarie.

Le premier chapitre de cet album constitue la plus belle illustration de sa formule célèbre : « *L'Universel, on l'atteint en restant chez soi.* »

Sous le Garlaban

1. Le Garlaban. « *Je suis né dans la ville d'Aubagne sous le Garlaban...* » Ainsi commencent *Les Souvenirs d'Enfance* de Marcel Pagnol. Le Garlaban (on dit aussi « Garlaban » sans l'article) est un éperon rocheux qui se dresse au nord-nord-ouest à l'horizon de la ville d'Aubagne. Haut de 715 mètres et situé au bord du massif de l'Aigle comme une tour de guet, il domine les quelques kilomètres carrés de collines qui ont été littéralement et littérairement le territoire de Marcel Pagnol. Il y est revenu tout au long de sa vie et de sa carrière.

2. Buste de l'Abbé Barthélemy par Houdon. De sa chambre natale, Pagnol avait gardé le souvenir du bruit très doux d'une fontaine : la fontaine Barthélemy – hommage à l'abbé Barthélemy, Aubagnais (bien que né à Cassis) et académicien français qui, contrairement à ce qui a été dit, occupait sous la Coupole, non pas le 25e fauteuil qui fut celui de Pagnol, mais le 19e, qui est aujourd'hui celui de René Clair. L'abbé Barthélemy est l'auteur du *Voyage du jeune Anacharsis en Grèce* qui fut à l'origine de la passion que portèrent à la Grèce et à l'Orient les écrivains de la deuxième partie du XIXe siècle et en particulier Chateaubriand. Le buste de Barthélemy se trouvait dans une niche au sommet de la fontaine.

3. Le cours Barthélemy à Aubagne. La photographie date de 1903. La maison natale de Marcel Pagnol – le numéro 16 – est située à droite au niveau du personnage assis sur le banc au fond. On le voit, la fontaine était tout près. Elle a été déplacée plusieurs fois. Elle se trouve aujourd'hui au cimetière d'Aubagne.

1

J. J. BARTHELEMY,

Le Grand homme puisant aux sources étrangères,
Trente ans médité en paix ses travaux solitaires,
Au pied du Monument qu'il fit long à finir
Il se repose enfin sans voir ses adversaires
Et l'œil fixé sur l'avenir.

2

AUBAGNE - Cours Barthélemy - B.P

3

9

Les premières heures de la vie

1. A vingt-sept mois. C'est le 28 février 1895 que Marcel Pagnol naît à Aubagne à 5 heures et demie de l'après-midi. Son père avait eu le temps de finir sa classe et de courir jusque chez lui où l'on attendait l'événement depuis midi. Marcel Pagnol est photographié ici au mois de mai 1897. A la fin de l'année scolaire, en juillet, Joseph Pagnol, son père, sera nommé à Saint-Loup et il profitera des vacances pour effectuer son déménagement. Marcel Pagnol est alors âgé de trente mois.

2. Le carnet de la sage-femme. Mme Maria Négrel, diplômée de la Faculté de Médecine de Montpellier, installée à Aubagne. On y lit que le 28 février 1895 elle a aidé Mme Augustine Pagnol à mettre au monde un garçon. C'était, pour elle, le vingtième enfant de l'année. Elle avait reçu à titre d'honoraires 13 francs. Dans la troisième colonne, Mme Négrel inscrivait le montant de la prime que les parents lui donnaient généralement le jour du baptême de l'enfant qu'elle avait fait naître. Pour Augustine Pagnol cette colonne est restée blanche. Marcel Pagnol n'a pas été baptisé tout de suite. On sait la force des sentiments anticléricaux qui animaient son père, Joseph Pagnol.

3. La maison natale. Au n° 16 du cours Barthélemy, les Pagnol louaient l'appartement du 3e étage. La dernière fenêtre à droite est celle de la chambre natale de l'écrivain.

4. L'acte de naissance de Marcel Pagnol au bureau de l'état civil de la mairie d'Aubagne porte mention des deux mariages contractés par Marcel Pagnol, le premier, le 2 mars 1916 avec Simone-Thérèse-Félicité Collin, d'Aix-en-Provence où il était lui-même professeur. Les deux époux vécurent ensemble très peu de temps, mais le divorce ne fut prononcé qu'en 1941. En 1945, Marcel Pagnol épousait à Malakoff, Jacqueline Bouvier.

1

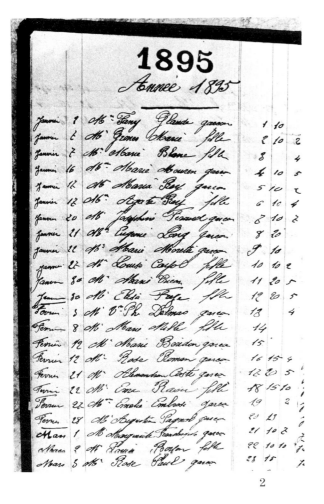

1895

Année 1895

2

3

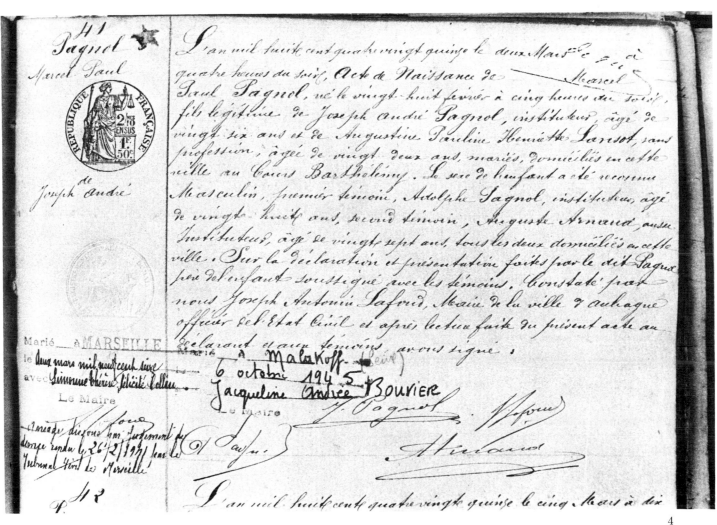

Pagnol

Marcel Paul

de

Joseph André

Marié à MARSEILLE

le deux mars mil neuf cent seize
avec Simonne Thérèse Félicité Collin

Le Maire

Marié à Malakoff (Seine)
6 octobre 1945
Jacqueline Andrée BOURIER
Le Maire

4

La gloire des grands-pères

1. Le grand-père maternel de Marcel Pagnol. Auguste Lansot était normand, né à Coutances vers 1845. C'est en effectuant son tour de France de compagnon mécanicien de machines à vapeur que, passant par la Provence, il tomba amoureux d'une Marseillaise et se fixa définitivement sur les bords du Vieux Port. Parti au Brésil pour dépanner un navire, il y mourut de la fièvre jaune, laissant trois orphelines dont la plus jeune, Augustine, celle qui deviendra la mère de Marcel Pagnol, avait à peine un an.

2. Le grand-père paternel. André Pagnol, était, lui, tailleur de pierre. Il était né à Valréas près d'Orange, dans le Vaucluse. Lui aussi avait effectué son tour de France et s'était finalement installé à Marseille. Après la guerre de 70, en sa qualité de premier compagnon tailleur de pierre du département, André Pagnol avait été envoyé à Paris pour refaire les clochetons de l'Hôtel-de-Ville, abîmés par les bombardements prussiens. André Pagnol savait à peine lire et signer. Il avait beaucoup souffert de ce manque d'instruction. Et de ses six enfants il avait fait des instituteurs. L'un d'eux, Adolphe, fut nommé à Aubagne, après Joseph dans la même école que lui, en 1895. Marcel Pagnol avait gardé une véritable vénération pour son grand-père. Toute sa vie il conserva sur son bureau, comme presse-papier, la massette du maître tailleur de pierre.

3. Compagnon passant tailleur de pierre en habit de cérémonie. André Pagnol, le grand-père, a porté ce costume le jour où il fut élevé à la dignité de compagnon.

4. Joseph Pagnol à dix-sept ans. L'inscription *Mon père* est de la main de Marcel Pagnol.

5. L'école normale d'Aix-en-Provence. « *Un de ces séminaires où l'étude de la théologie était remplacée par des cours d'anticléricalisme.* (1) » Joseph Pagnol est le premier debout à gauche.

(1) Cf. Marcel Pagnol : *La Gloire de mon Père.*

1

mon père

2

Mon grand Père paternel
André Pagnol-

1

Compagnon passant Tailleur de Pierre.

2

3

1

Joseph et Augustine Pagnol

1. Joseph l'instituteur. A sa sortie de l'école normale d'instituteurs des Bouches-du-Rhône à Aix-en-Provence, Joseph Pagnol avait débuté dans l'enseignement par un stage de trois mois à Marseille dans un quartier populaire à l'école de la Cabucelle. Fin 1888, il avait été nommé à Aubagne à l'école Lakanal, l'unique école de garçons de la ville. Il y assurait la cinquième classe, celle des tout-petits. Sa signature apparaît pour la première fois sur le cahier de conférences pédagogiques de l'école, le 30 janvier 1889, au bas d'un rapport consacré à la « composition française ».

2. Augustine la couturière. C'est la mère de Marcel Pagnol, Augustine Lansot. Elle était ravissante. Elle exerçait la profession de couturière et elle n'avait pas dix-huit ans lorsqu'elle épousa Joseph Pagnol. C'était avant la nomination de Joseph à Aubagne. « *Je n'ai jamais su comment ils s'étaient connus*, écrit Marcel Pagnol, *car on ne parlait pas de ces choses-là à la maison.* » Après son mariage, Augustine Pagnol avait abandonné son métier de couturière. Les Pagnol avaient eu un premier enfant, Maurice, né le 28 avril 1894, et mort à l'âge de quatre mois, le 18 août de la même année, six mois avant la naissance de Marcel Pagnol.

La tante Rose,
l'oncle Jules
et le Parc Borély

1. Le petit Marcel Pagnol à l'époque où, son père étant instituteur à Marseille à l'école de la rue des Chartreux, sa tante Rose, qui était la sœur aînée de sa mère, venait déjeuner à la maison tous les jeudis et tous les dimanches. L'après-midi, elle emmenait son jeune neveu jouer dans les allées du parc Borély.

2. Le parc Borély (en 1903). C'est le « parc de Saint-Cloud » des Marseillais, au bout du Prado. On y allait en tramway. C'était pour l'enfant un endroit merveilleux, un peu magique. Il y avait (il y a toujours) des arbres centenaires, des bosquets, des pelouses, des gardiens. Il y avait, mais il n'y allait pas, un hippodrome. Il y avait surtout un étang avec des canards auxquels le petit Marcel donnait du pain et quelquefois jetait des cailloux. C'étaient les meilleurs moments de ses après-midi.

3. La tante Rose avait vingt-six ans quand un jour, gardant le petit Marcel au parc Borély, elle fit la connaissance d'un monsieur qui s'était assis sur leur banc habituel et qui lui fit la cour. La surveillance qu'exerçait la tante Rose sur son jeune neveu se relâcha un peu. Quelques mois après, la tante Rose épousait l'inconnu du banc qui devenait l'oncle Jules.

4. L'oncle Jules. Un des personnages importants des *Souvenirs d'Enfance*. Il s'appelait en réalité Thomas Jaubert. Il était catalan. Sous-chef de bureau à la préfecture, il allait à la messe tous les dimanches et il communiait deux fois par mois. Ce qui, d'abord, déplut souverainement à Joseph Pagnol mais n'empêcha pas tout de même les Pagnol et les Jaubert de louer ensemble la maison de vacances de La Treille. L'oncle Jules, malgré ses convictions religieuses tellement opposées à celles de son beau-frère, devint le meilleur ami de Joseph Pagnol et son compagnon de chasse.

P. Boujon
1906

68, Rue Sainte
MARSEILLE

1

MARSEILLE. — Le Parc Borelij. — ZZ.

2

3

4

1

2

Les Pagnol s'installent à Marseille

1. Joseph Pagnol et sa classe en 1902. Joseph Pagnol était alors instituteur à l'école de Saint-Loup qui était à mi-chemin de Marseille. En 1904, il est nommé à Marseille à l'école de la rue des Chartreux.

2. La cour de l'école de la rue des Chartreux. Joseph Pagnol y enseignera jusqu'en 1912.

3. La famille Pagnol en 1904. Les Pagnol habitent à Marseille, rue Terrusse. Deux nouveaux enfants leur sont nés. Paul à Saint-Loup en 1908 et Germaine, la petite sœur, à Marseille. Le quatrième, René, naîtra en 1910. La même année, Augustine

Pagnol meurt d'une congestion. Joseph Pagnol va alors abandonner l'enseignement public. Il donne des cours dans divers établissements d'enseignement privé de Marseille, parmi lesquels il y avait probablement quelques pensions Muche (1). Joseph Pagnol réintégrera l'enseignement public en 1918 et finira sa carrière au sommet de la hiérarchie comme directeur déchargé de classe, à l'école de la rue Sainte-Pauline, l'une des plus importantes de Marseille.

(1) Cf. *Topaze.*

3

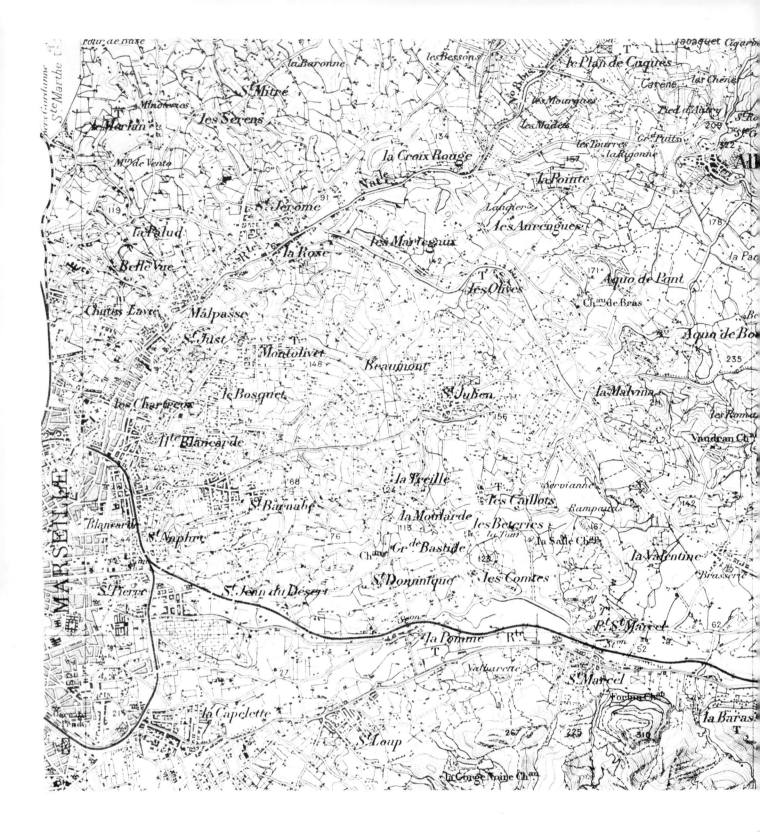

Le territoire de Marcel Pagnol

La carte des collines. « *L'Universel*, disait Marcel Pagnol, *on l'atteint en restant chez soi.* » Le « chez lui » de Pagnol, c'est au nord d'une ligne imaginaire Marseille-Aubagne, un quadrilatère de dix kilomètres sur quatre. Voici la carte d'état-major de ce « territoire ». Elle a été établie en 1903, l'année où les Pagnol ont pour la première fois passé les vacances familiales à La Treille. C'est ici que les jeunes années de Pagnol courent dans la montagne. C'est ici que son inspiration poétique a puisé ses œuvres les plus belles, ici qu'il a

retrouvé l'ombre des bergers de Virgile. C'est ici qu'il a poursuivi ses rêves les plus audacieux (la construction d'un Hollywood provençal), ou les plus fous (la découverte d'un lac souterrain qui par le miracle de l'eau répandrait sur « *ces collines aussi sèches que le désert de l'Arizona* » la prospérité et la richesse). Plus tard il fut persuadé que le sous-sol contenait de l'uranium. Il se procura à prix d'or un équipement de prospecteur, mais ne trouva rien. C'est ici qu'il a réalisé ses films les plus importants. *Jofroi*, entièrement

tourné à La Treille. *Angèle*, dans le Vallon du Cuirassier. *Regain*, pour lequel il avait fait construire par son ami d'enfance Marius Brouquier les ruines d'un village sur les barres de Saint-Esprit. C'est ici qu'il a situé l'action de *Manon des Sources* et des deux volumes de *L'Eau des Collines*. Il avait rêvé d'y reconstituer la préhistoire pour y tourner *Le Premier Amour*. Il s'était même rendu propriétaire de 25 hectares de ces collines, annexe des studios de Marseille, où il allait tourner les extérieurs de ses films... On retrouvera sur la carte

les noms des lieux les plus fameux de l'œuvre pagnolesque, les plus familiers aux lecteurs des *Souvenirs d'Enfance*. Le Château de la Buzine. Saint-Loup où Joseph Pagnol enseigna après avoir quitté Aubagne. La Barrasse. La Valentine. Les Quatre-Saisons. Les Camoins. Les Accates. Tête Rouge. Ruyssatel. Precatori. La Treille et Les Bellons où se trouvait la Bastide Neuve. Enfin au nord-nord-ouest d'Aubagne, Garlaban, où selon Pagnol, en l'an 102 avant Jésus-Christ, des guetteurs du général romain Marius, ayant aperçu au

fond de la nuit un feu qui brûlait sur Sainte-Victoire, allumèrent à leur tour un bûcher de broussailles et c'est ainsi que de bûcher à bûcher arriva à Rome la grande nouvelle : les légions de Gaule venaient d'égorger dans la plaine d'Aix, les cent mille barbares de Teutobobhus qui menaçaient l'empire. Dix kilomètres sur quatre, c'est une surface qui paraît aujourd'hui dérisoire. Elle était immense en 1903 : on la parcourait à pied.

Le long chemin
de La Treille

1. Saint-Loup en 1905. On le voit, c'était la campagne. C'est ici qu'on a inauguré en 1967, le lycée « Marcel Pagnol ». C'est pendant son séjour à Saint-Loup que Joseph Pagnol se promenant dans les collines avait découvert La Bastide Neuve.

2. Le tramway Marseille-Aubagne. La ligne fut inaugurée en 1905. Dans le document de la page représentant le cours Barthélemy à Aubagne, les pylônes-supports des fils électriques sont déjà en place mais les rails ne sont pas encore posés. Installé sur la plate-forme à côté du watman, écrit Pagnol « *je regardais les rails luisants qui avançaient vertigineusement vers nous. Je n'ai jamais retrouvé, sur les machines les plus modernes, cet orgueil triomphal d'être un petit homme vainqueur de l'espace et du temps...* (1) »

3. La Barrasse. Ce fut pour les Pagnol jusqu'en 1907 l'arrêt où ils devaient descendre, la fin du voyage confortable. « *Le véhicule prodigieux qui nous rapprochait des collines ne nous y conduisait pas. Il fallait le quitter à La Barrasse et il continuait sa course folle vers Aubagne.* (1) » Pour atteindre La Treille, la famille chargée de sacs à provisions, de paquets, entreprenait alors une marche longue et pénible, sous un soleil torride. On devait revenir vers Marseille, prendre le chemin vers la Valentine, puis tourner vers le carrefour des Quatre-Saisons. Jusqu'au jour où Joseph Pagnol rencontra son ancien élève d'Aubagne, Bouzigue, devenu « piqueur », c'est-à-dire qu'il était le contractuel chargé par l'administration de l'entretien du canal d'irrigation qui traversait les propriétés de l'endroit. Bouzigue détenait, à ce titre, les clés de ces propriétés. Il en donna un double à son ancien maître. En traversant les propriétés au lieu de les contourner, les Pagnol gagnaient ainsi plusieurs kilomètres sur leur trajet habituel. En 1907, une nouvelle ligne de tramway les conduira jusqu'aux Camoins (voir la carte), c'est-à-dire beaucoup plus près de La Treille.

(1) Cf. Marcel Pagnol : *La Gloire de mon Père.*

1

2

4   BANLIEUE DE MARSEILLE. — La Barrasse

3

1

C'est le château de ma mère

1. Le château de la Buzine, le « château de ma mère ». Pendant qu'ils traversaient un domaine, en fraude, grâce à la clé que leur avait donnée le brave Bouzigue, les Pagnol avaient été surpris par le garde chargé d'en assurer la surveillance. L'affreux bonhomme, un revolver passé dans sa ceinture, les avait humiliés. Il avait inscrit leurs noms sur son carnet et les avait menacés des pires représailles. « Ça ne s'arrêterait pas là. » Joseph Pagnol se voyait révoqué, au chômage. La frêle et inquiète Augustine Pagnol avait eu ce jour-là la plus grande frayeur de sa vie. Marcel Pagnol ne l'oublia jamais.

2. Le canal de Bouzigue. L'ancien élève de Joseph Pagnol à l'école d'Aubagne était navré de l'état déplorable de son canal. « *Regardez-moi ces berges, disait-il... Par endroits c'est une passoire.* » Quarante ans plus tard, Marcel Pagnol qui avait acheté le domaine de la Buzine par l'intermédiaire d'un marchand de biens, sans l'avoir visité, reconnut le canal et découvrit ainsi qu'il était devenu propriétaire de « *l'affreux château, celui de la peur, de la peur de ma mère* ».

1

Le village enchanté

1. Les Pagnol à La Treille. La photographie a été prise quelques années après la mort d'Augustine Pagnol. Joseph veuf avec quatre enfants se remariera (1). Joseph Pagnol, au centre, porte le pantalon et les guêtres des chasseurs des collines. Marcel, le fils aîné, est au sommet de l'ensemble. Germaine, la petite sœur, est à la droite du père. A sa gauche, le petit dernier René, et debout Paul, le futur chevrier des collines.

2. L'arrivée à La Treille. Les lecteurs de Pagnol savent que pour arriver à La Treille, la montée était rude. Et quand on était arrivé, il fallait monter encore pour arriver jusqu'à La Bastide Neuve.

3. La Bastide Neuve. « *Elle était neuve depuis longtemps.* (2) » C'était une ancienne ferme en ruine, restaurée trente ans plus tôt. Tout autour un fouillis de végétation. « *Mais cette forêt vierge en miniature, je l'avais vue dans tous mes rêves.* (2) » Les Pagnol quittèrent plus tard La Bastide Neuve pour la propriété Ravel, au pied des barres de Saint-Esprit.

(1) Ce second mariage de Joseph Pagnol avec une Marseillaise, Madeleine Jullien, explique pourquoi, dans le cimetière de La Treille, Marcel Pagnol est enterré avec sa mère et sa fille, la petite Estelle, alors que son père repose dans un autre tombeau avec sa seconde femme.

(2) Cf. Marcel Pagnol : *La Gloire de mon Père.*

ototypie E. Lacour. — Marseille

ce 17 Septembre 1903 La Treille - 1226 - Vue de la Route

2

3

1

L'univers
des collines

1. La grotte du cerf (ou du Plantier) située tout près de La Treille. C'est la grotte où dans *Manon des Sources*, Manon s'est installée avec sa mère. Les grottes sont nombreuses dans le massif de l'Etoile. Pagnol parle de « la baume sourde » et surtout de la grotte des pestiférés ainsi baptisée parce qu'elle avait servi de refuge à un groupe de Marseillais qui avaient fui leur ville lors de la grande peste de 1720 (1).

2. Les collines. On le sait, c'est le petit Lily des Bellons, il s'appelait en réalité David Magnan, qui avait initié son ami Marcel (de la ville) aux mystères de la vie des collines. « *Il savait tout, le temps qu'il ferait, les ravins où l'on trouve des champignons, des salades sauvages... Il en connaissait chaque vallon, chaque ravin, chaque sentier, chaque pierre de ces collines.* » Marcel Pagnol fut un disciple parfait. Les manuels scientifiques les plus savants lui rendent hommage pour l'étendue et l'exactitude des connaissances biologiques, botaniques ou géologiques dont il fait preuve dans ses *Souvenirs d'Enfance*. On n'y relève aucune erreur.

3. La bartavelle. Il s'agit d'une variété de perdrix européenne qu'on ne trouve qu'en Provence, en Italie

et en Grèce. Elle dépasse souvent 35 centimètres, alors que la perdrix rouge atteint rarement 33 centimètres. Elle ne pousse pas le même cri. Alors que la gorge de la bartavelle porte une bavette blanche, comme celle de la perdrix rouge, les bords de cette bavette sont d'un noir net chez la bartavelle et d'un noir fondu dans le haut de la poitrine chez la perdrix rouge. Enfin les plumes des flancs ont deux barres noires chez la bartavelle, une seule barre noire chez la perdrix rouge (2).

(1) Cf. Marcel Pagnol : *Le Temps des Amours.*
(2) Documentation et dessin du professeur Théron.

1

Je ne savais pas que j'aimais Marseille

1. Le Pont Transbordeur et la Bonne Mère. « *Je ne savais pas que j'aimais Marseille, ville de marchands, de courtiers et de transitaires.* » C'est le Marseille des premières années de ce siècle dont parle Pagnol, un Marseille au sommet de sa prospérité, « le port des sept mers », le Marseille qui organise son Exposition Coloniale (1922), qui « *construit vingt kilomètres de quais pour nourrir toute l'Europe avec la force de l'Afrique* ». Les deux symboles en sont Notre-Dame de la Garde qui veille sur les Marseillais et surtout le Pont Transbordeur qui dresse son étrange silhouette de fer et de câbles comme une figure surréaliste géante dessinée sur le bleu du ciel et de la mer. C'est la grande porte du monde et c'est la Tour Eiffel des Marseillais. « *Il est monté sur la tourifèle* » dit Panisse en parlant de M. Brun qui revient de Paris. « *Oui*, répond César avec une moue de dédain. *Il paraît que comme largeur, c'est la moitié du Pont Transbordeur.* » Le Pont Transbordeur transportait ses passagers, comme le ferry-boat, d'un quai à l'autre du Vmeux Port. Les Allemands l'ont démoli en 1943.

2. Le Vieux Port en 1903. C'est ce Vieux Port encombré de charrettes et de tramways, tout ce peuple

2

joyeux de pêcheurs et de portefaix, ces voiliers partant pour l'autre bout du monde qui va inspirer au jeune auteur dramatique son œuvre maîtresse : la trilogie *Marius-Fanny-César*. C'est ici qu'il en a situé l'action, qu'il en a connu les personnages.

3. Le vrai Escartefigue. C'est le véritable nautonier du « ferriboîte ». Le Pont Transbordeur a disparu mais le ferry-boat continue son activité.

3

Les camarades du lycée Thiers

1. La cour du lycée Thiers. C'est là que Marcel Pagnol a fait toutes ses études secondaires jusqu'en réthorique supérieure. Edmond Rostand dont la gloire et la fortune le faisaient rêver y avait été élève quelques années plus tôt. C'est ici que Pagnol a connu tous les camarades dont les noms sont familiers aux lecteurs de ses Souvenirs : Aviérinos, Berlaudier, Galliano, Zakarias et surtout Yves Bourde, son meilleur ami.

2 et 3. La classe de troisième. Pour la photographie de la classe de troisième, deux camarades se sont placés côte à côte : Marcel Pagnol, la casquette bien posée sur des cheveux bien peignés, et Albert Cohen. Albert Cohen, fils de commerçants aisés, recevait de ses parents assez d'argent de poche pour pouvoir « commanditer » Marcel, plus pauvre. Il lui donnait cinq sous par semaine. Mais il le commanditait pour quoi ? On sait que Marcel Pagnol, très doué pour la poésie, vendait à des camarades des sonnets d'amour destinés à leurs « fiancées ». Pagnol vendait-il des sonnets à Cohen ?...

4. Le palmarès de première A. Sur le palmarès de la classe de première, en composition française, Pagnol Marcel d'Aubagne obtient le premier accessit cependant que Cohen Albert de Corfoue, futur auteur du *Livre de ma mère*, de *Mangeclous*, et de *Belle du Seigneur*, futur Grand Prix du Roman de l'Académie française et considéré unanimement comme l'un des plus grands écrivains contemporains, ne reçoit lui que le huitième accessit *ex aequo*.

5. La classe de réthorique supérieure. C'est la classe qui terminera son année scolaire au mois de juillet 1914, quelques jours à peine avant la déclaration de la Grande Guerre. Sur les treize élèves, six seront tués au front. Marcel Pagnol, le premier à droite au deuxième rang, ne restera qu'une année en khâgne. Il sera l'année suivante répétiteur au lycée d'Aix-en-Provence. C'est l'année où, avec ses amis passionnés de littérature, il crée *Fortunio*.

1

2

Composition Française

1er Prix.	ESTELLE, Monclar.	
2.	AVIÉRINOS, Fernand, de Marseille.	
1er Acc.	PAGNOL, Marcel, d'Aubague.	
2. —	BOSC, Louis, de Marseille.	
3. —	PALAFER, Gabriel, de Marseille.	
4. —	DOU, Paul, de Marseille.	
5. —	MÉTRAL, Edouard, de Marseille.	
6. —	CÉZILLY, Marius, de Marseille.	
7. —	BETTINI, Théodore, de Marseille.	
8. —	{ BARRIÈRE, Jean, de Gap.	
ex æquo	{ COEN, Albert, de Corfou.	

Version Latine

4

Classe de 3ème

ANNEXE

3

5

Le Marseille
de la rue
et Fortunio

1. La statue de Victor Gelu.
« *Regarde-le comme il est beau*, dit
César en parlant de Panisse, *on
dirait la statue de Victor Gelu.* »
Victor Gelu, le « Zola marseillais »,
est l'auteur de plusieurs romans
naturalistes écrits en langue marseillaise. Sa statue se dressait tout près
du Vieux Port. Elle a disparu pendant l'Occupation.

2. La plaine Saint-Michel. Pagnol y
a situé l'action de son roman *Le
Mariage de Peluque* publié en feuille-
ton dans *Fortunio* d'octobre 1923 à
février 1924 et paru en librairie en
1929 sous le titre *Pirouettes*.

3. *Fortunio* n° 1. Il paraît le 10 février 1914. Douze pages. Prix 15 cen-
times. *Fortunio* cessera de paraître à
la déclaration de guerre après avoir
publié six numéros.

4. *Fortunio* n° 1 de sa reparution.
Fortunio renaît de ses cendres le
1er janvier 1921. *Fortunio* deviendra
en octobre 1925, sous la direction de
Jean Ballard, *Les Cahiers du Sud*,
l'une des revues de poésie les plus
importantes de la littérature française. *Les Cahiers du Sud* paraîtront
jusqu'en 1967.

5. Arno-Charles Brun. Camarade de
lycée de Pagnol, collaborateur de
Fortunio, il se retrouvera, la guerre
finie, vérificateur des douanes. C'est
à lui que Pagnol empruntera le nom
et la profession de son personnage de
la trilogie : Monsieur Brun.

6. Jean Ballard. Il était peseur-juré.
Les peseurs-jurés, fonctionnaires de
la Chambre de commerce, jouaient
un grand rôle à Marseille : dans
Marius, la femme d'Escartefigue,
par exemple, le trompe avec le président des peseurs-jurés. Jean Ballard
dirigera *Les Cahiers du Sud* jusqu'à
sa mort.

7. Louis Brauquier. Camarade de
jeunesse de Marcel Pagnol, poète et
passionné de voyages à l'autre bout
du monde, c'est lui, peut-être, qui
inspira à Pagnol le personnage de
Marius. Dessin paru dans *Fortunio*.

1

3

4

220 — **Marseille.** - Plaine Saint-Michel.

2

5

6

Louis Brauquier

7

L'éveil de la vocation dramatique

1. La salle de l'Alcazar. C'est le grand music-hall de Marseille. Tous les grands de la chanson en ont été les pensionnaires. Marcel Pagnol y a applaudi aussi des revues marseillaises que jouaient Fortuné aîné et cadet, Mme Chabert, André Turcy, Alida Rouffe. « *Ces revues continuaient une tradition millénaire, celle des atellanes latines d'une liberté et d'une verdeur de langage qui surprenaient les gens du Nord. Rien d'obscène cependant. Un ton de bonne humeur populaire et comme ensoleillée faisait tout passer.* » « *En écrivant* Marius, dit Pagnol, *j'avais dans l'oreille la voix des acteurs de l'Alcazar.* » La pièce finie, il l'apporta tout naturellement à M. Franck, directeur de l'Alcazar, qui lui dit : « *Ta pièce est un chef-d'œuvre. Tu dois la faire jouer à Paris et tu feras un triomphe. Je l'afficherai après.* »

2. L'entrée de l'Alcazar. Son hall dans le style nouille 1900 s'ouvrait cours Belzunce. Yves Montand et Gilbert Bécaud ont débuté ici devant le public le plus connaisseur, le plus exigeant, mais aussi le plus enthousiaste du monde.

3. Marcel Pagnol chez Franck. Pagnol, toute sa vie, resta l'ami du directeur de l'Alcazar. Il est photographié ici dans le bureau de celui-ci, le dernier à gauche, entouré de journalistes marseillais.

4. *Catulle.* Si l'Alcazar fit naître chez Pagnol le goût du théâtre, il est probable que son grand aîné le Marseillais Edmond Rostand, qui avec *Cyrano de Bergerac* avait conquis Paris en un soir, ne fut pas non plus étranger à sa vocation. Sa première œuvre dramatique *Catulle*, publiée par les Editions Fortunio était, elle aussi, en vers. Une première version de *Catulle*, écrite par Pagnol en 1912, avait pour titre *Lesbie*.

5. Edmond Rostand. Tous les jeunes Marseillais passionnés de littérature rêvaient de sa gloire. Dessin de Carlo Rim paru en 1929 dans *Fortunio*.

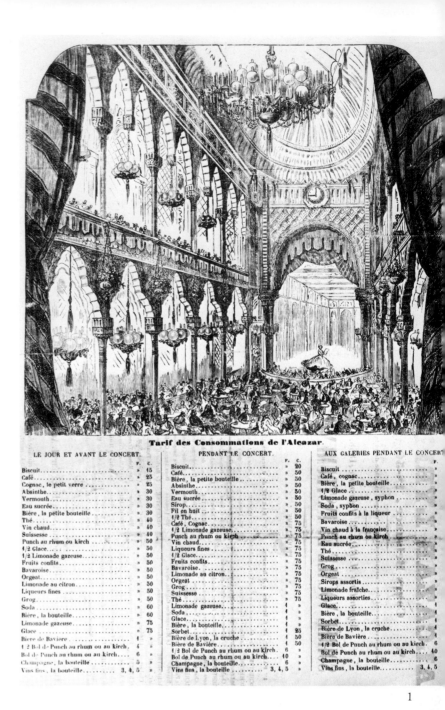

Tarif des Consommations de l'Alcazar.

LE JOUR ET AVANT LE CONCERT.	F.	C.	PENDANT LE CONCERT.	F.	C.	AUX GALERIES PENDANT LE CONCERT	F.
Biscuit	»	15	Biscuit	»	20	Biscuit	
Café	»	25	Café	»	50	Café, cognac	
Cognac, le petit verre	»	25	Bière, la petite bouteille	»	50	Bière, la petite bouteille	
Absinthe	»	30	Absinthe	»	50	1/2 Glace	
Vermouth	»	30	Vermouth	»	50	Limonade gazeuse, syphon	
Eau sucrée	»	30	Eau sucrée	»	50	Soda, syphon	
Bière, la petite bouteille	»	30	Sirop	»	50	Fruits confits à la liqueur	
Thé	»	40	Fil en huit	»	50	Bavaroise	
Vin chaud	»	40	1/2 Thé	»	50	Vin chaud à la française	
Suissesse	»	40	Café, Cognac	»	75	Punch au rhum ou kirch	
Punch au rhum ou kirch	»	50	1/2 Limonade gazeuse	»	75	Eau sucrée	
1/2 Glace	»	50	Punch au rhum ou kirch	»	75	Thé	
1/2 Limonade gazeuse	»	50	Vin chaud	»	75	Suissesse	
Fruits confits	»	50	Liqueurs fines	»	75	Grog	
Bavaroise	»	50	1/2 Glace	»	75	Orgeat	
Orgeat	»	50	Fruits confits	»	75	Sirops assortis	
Limonade au citron	»	50	Bavaroise	»	75	Limonade fraîche	
Liqueurs fines	»	50	Limonade au citron	»	75	Liqueurs assorties	
Grog	»	50	Orgeat	»	75	Glace	
Soda	»	60	Grog	»	75	Bière, la bouteille	
Bière, la bouteille	»	60	Suissesse	»	75	Sorbet	
Limonade gazeuse	»	75	Thé	»	75	Bière de Lyon, la cruche	
Glace	»	75	Limonade gazeuse	1	»	Bière de Bavière	
Bière de Bavière	1	»	Soda	1	»	1/2 Bol de Punch au rhum ou au kirch	6
1/2 Bol de Punch au rhum ou au kirch	4	»	Glace	1	»	Bol de Punch au rhum ou au kirch	10
Bol de Punch au rhum ou au kirch	6	»	Bière, la bouteille	1	»	Champagne, la bouteille	6
Champagne, la bouteille	5	»	Bière de Lyon, la cruche	1	50	Vins fins, la bouteille	3, 4, 5
Vins fins, la bouteille	3, 4, 5	»	Bière de Bavière	1	50		
			1/2 Bol de Punch au rhum ou au kirch	6	»		
			Bol de Punch au rhum ou au kirch	10	»		
			Champagne, la bouteille	6	»		
			Vins fins, la bouteille	3, 4, 5	»		

1

MARCEL PAGNOL

CATULLE

DRAME EN 4 ACTES

EN VERS

EDITIONS DE " FORTUNIO "
1, RUE VENTURE
MARSEILLE

4

EDMOND ROSTAND 1868-1918

5

2

3

ANNEXE DU BOULEVARD SAINT-CHARLES

ADMINISTRATION

Proviseur,	MM. BRUGEAS (I. ⚫, ✻).
Censeur-Directeur,	BAYCE (I. ⚫).

ENSEIGNEMENT & SURVEILLANCE

Professeurs

Sciences mathématiques,	MM. MASSIANI (I. ⚫).
Sciences naturelles,	MAURICE Paul.
Physique et Chimie,	PETIT.
Histoire,	REBERSAT (A. ⚫).
Seconde,	RICHARD (⚜).
Troisième,	DURAND Maurice (I. ⚫).
Quatrième,	ESPY.
Cinquième,	MARION (⚜).
Sixième,	RAT.
Langue allemande,	PRADAT.
Langue anglaise,	H ÉLIAS.
Septième,	BARBAS (I. ⚫).
	FERRIÉ (I. ⚫).
Huitième,	CHÉREST.
Division prép. : Seconde Année,	MARGAILLAN (I. ⚫).
— Première Année	Mmes BARBAS.
Classe enfantine,	GOUDARD.
Dessin,	MM. PIA.
Gymnastique,	RAOUX (🎖).
Surveillant général,	MONESTIER (A. ⚫).
	ANDRÉ (I. ⚫).
	BAYLE.
	ESPIEU.
Professeurs-adjoints	JURQUET ✻, ⚜).
et Répétiteurs d'externat	LÉGIER (A. ⚫, 🎖).
	LODOVICI (A. ⚫, ✠).
	PAGNOL.

SERVICE ÉCONOMIQUE

Econome,	MM. ROUBICHOU (I. ⚫).
Sous-Econome,	LOMBARD (A. ⚫).

1

Son époque
« Petit Chose »

1. Le palmarès du lycée Saint-Charles, en 1921. Dernier sur la liste des « professeurs adjoints et répétiteurs d'externat » : Pagnol. Nommé à Marseille en 1920, il y restera jusqu'en juillet 1922. C'était un jeune professeur aux cheveux longs. Il portait la cape romantique et ses élèves lui avaient donné un surnom emprunté à la mythologie cinématographique : *Judex*. En 1923, Pagnol se retrouvera à Paris au lycée Condorcet où il enseignera l'anglais. Le changement lui avait été à peu près imposé. Les lycées de Paris sont d'ordinaire des postes de fin de carrière, mais en 1921 la guerre venait de se terminer. Il était difficile de se loger à Paris.

Et les professeurs chevronnés refusaient les postes qu'on leur proposait dans la capitale. En 1928, après le succès de *Topaze*, Pagnol se fera mettre en congé sans traitement. Mais il ne démissionnera jamais de l'Université. Toute sa vie il gardera de son passage dans l'enseignement un excellent souvenir.

2. Pagnol professeur à Aix-en-Provence. Marcel Pagnol est debout à droite au dernier rang. Il a déjà été répétiteur au collège de Pamiers d'où il allait chaque semaine, donner des cours à Mirepoix. Puis à Tarascon. Il est nommé au lycée d'Aix en 1918.

2

3

3. Pagnol à Marseille en 1922.
Dessin de Carlo Rim paru dans *Fortunio*. Carlo Rim, dont le père était rédacteur en chef du *Petit Marseillais*, fera à Paris une grande carrière de dessinateur puis de scénariste, dialoguiste et metteur en scène de cinéma.

4. Les vacances du petit pion (1919). Marcel Pagnol, répétiteur au lycée d'Aix, en vacances dans les collines. A droite, au premier rang, sa femme Simone.

4

2

Paris
et le théâtre

Pourquoi Marcel Pagnol, à l'orée de sa carrière, choisit-il comme mode d'expression, le théâtre ? « *C'est*, disait-il quelquefois, *sur les conseils de Gaston Gallimard.* » Il lui avait apporté un premier roman rempli de dialogues que celui-ci avait trouvés brillants. « *Vous devriez*, lui avait dit le patron de la N.R.F., *écrire une pièce !* » C'est aussi, bien sûr, parce que Pagnol était comme les gens de sa race, un parleur. C'est peut-être également parce que, jeune homme pauvre et souffrant de sa pauvreté, il savait que le théâtre, lorsqu'on y connaissait le succès, apportait la fortune. Il rêvait de Rostand, son grand ancien du lycée Thiers de Marseille.

Au théâtre, Marcel Pagnol fait une carrière éblouissante mais très courte, stoppée aussitôt par la naissance du cinéma parlant. Cinq pièces. Son théâtre n'en présente pas moins un double aspect. *Les Marchands de Gloire*, *Jazz* ou *Topaze* restent dans la tradition du théâtre satirique bourgeois, le théâtre de Becque ou de Mirbeau. Seulement voilà : *Topaze* est un chef-d'œuvre. *Topaze* va être joué mille fois à Paris, traduit aussitôt dans toutes les langues et affiché dans toutes les capitales.

Ce triomphe va permettre à Marcel Pagnol de nous donner « son » théâtre. Un théâtre nouveau qui n'est plus le théâtre des princes ou des bourgeois, mais le théâtre des gens du peuple, un théâtre où tous les personnages ont un métier. Ce théâtre qui est une véritable révolution commence avec *Marius*. Avec *Marius*, la voie qui mène au néo-réalisme est déjà ouverte.

Le soir de la générale de *Marius*, quand les bravos calmés, Raimu annonça : « *La pièce que nous venons de répéter ce soir devant vous pour la dernière fois est de Marcel Pagnol* », toute une série de personnages nouveaux venaient de naître. César, Marius, Escartefigue, M. Brun, Panisse, Honorine, Fanny, qui allaient rejoindre dans notre mythologie familière Panurge, Scapin, Polichinelle, Monsieur Jourdain, Figaro. A chacun de nous, il venait de donner des cousins de Marseille. « *Je connais mieux leur vie*, disait Marcel Achard, *que celle de mon oncle Joseph.* »

Marcel Pagnol avait écrit dans *Catulle* :

> « *J'ai vécu loin de Rome et ma gloire est bien mince*
> *Mais j'apporte mon cœur du fond de ma province.* »

Ce n'est pas seulement son cœur qu'il a apporté de sa province. C'est le cœur de sa province. Et il l'a apporté au monde entier.

1

2   3   4

Ses premiers pas d'auteur dramatique

1. Le bulletin de réception de *Tonton* **ou** *Joseph veut rester pur.* Comédie-bouffe. C'est la première œuvre dramatique (représentée) de Marcel Pagnol. Il l'avait écrite en collaboration avec Paul Nivoix qu'il avait connu à Marseille où il dirigeait un hebdomadaire de théâtre *Spectator*. Pagnol l'avait retrouvé à Paris, rédacteur à *Comœdia*, quotidien des lettres et des arts. Marcel Pagnol et Paul Nivoix avaient écrit *Tonton*, mais Pagnol considérant le vaudeville comme un genre indigne de l'universitaire qu'il était, n'avait

pas voulu le signer. C'est Nivoix qui lui trouva, pour protéger ses droits à la Société des Auteurs, le pseudonyme de Castro. *Tonton* fut créé aux Variétés de Marseille le 10 août 1923.

2. André Antoine régnait en maître sur le théâtre des années 20. Il fut l'un des premiers à découvrir le talent de Pagnol. C'est à lui que Pagnol a dédié *Topaze*.

THÉÂTRE de la MADELEINE

19, Rue de Surène — à 50 mètres de la Madeleine — Tél. Elysées 86-25

TOUS LES SOIRS, à 8 h. 30

LES

MARCHANDS

DE

GLOIRE

Pièce en 4 actes et un Prologue

DE MM. Marcel PAGNOL ET Paul NIVOIX

Mise en scène de M. SIGNORET

DIMANCHES ET FÊTES, MATINÉE A 2 H. 30

5

6

3. Signoret, l'une des grandes vedettes du théâtre de l'époque était de Cavaillon. Il avait débuté à Marseille puis avait réussi à Paris. Il assura la mise en scène des *Marchands de Gloire* et reprit le rôle principal pour les représentations à Bruxelles.

4. Paul Nivoix écrivit trois pièces avec Marcel Pagnol : *Tonton, Les Marchands de Gloire* et *Direct au Cœur*. Puis les deux collaborateurs se séparèrent, chacun des deux continuant son œuvre seul.

5. L'affiche des *Marchands de Gloire*. Pièce satirique dénonçant les profiteurs qui, la paix revenue, utilisaient en politique ou dans les affaires la gloire des morts de la guerre, elle avait été créée au théâtre de la Madeleine dirigé par Robert Trébor et André Brûlé, le 15 avril 1925. Elle reçut de la critique un excellent accueil. On évoqua Becque. Mais le public ne vint pas. On ne donna que treize représentations. Marcel Pagnol accepta d'autant moins cet échec que la pièce avait eu du succès à New York (où elle était jouée par

le théâtre Guild), en Allemagne et en Union soviétique. Pagnol retravailla sur sa pièce toute sa vie. Il en publia dans les années 60 une nouvelle version.

6. La création des *Marchands de Gloire*. C'est la grande scène finale. De gauche à droite : Yvonne Bachelet (Suzy Prim), Henri Bachelet (Pierre Renoir), Richebon, Berlureau (André Berley) et de l'autre côté du portrait du héros, Lieuville, Bachelet (Constant Rémy) et le commandant.

La rencontre avec Orane Demazis chez Dullin

1. Orane Demazis avec Dullin. En 1925. Marcel Pagnol, toujours professeur au lycée Condorcet et déjà auteur dramatique, rencontre celle qui va jouer le premier rôle dans sa vie et dans son œuvre pendant près de quinze ans. Elle lui donnera un fils. Elle s'appelle Orane Demazis. Elle est comédienne dans la troupe fixe du théâtre de l'Atelier. On la voit ici répétant aux côtés de Charles Dullin. Elle avait remporté un grand succès dans *L'Occasion* de Mérimée. Elle jouait Pirandello. Venue de l'Algérie, elle s'était composé son prénom avec le nom de sa ville natale : Oran. Pagnol lui confie le premier rôle féminin de *Jazz*.

2. Orane Demazis dans *La Petite Lumière et l'Ourse*, comédie d'Alexandre Arnoux qui succéda à l'Atelier à *Voulez-vous jouer avec moa ?* de Marcel Achard.

3. L'affiche de *Jazz*. Pagnol avait d'abord intitulé sa pièce *Phaéton*. *Jazz* met en scène le drame d'un professeur de l'université, Blaise, grand érudit qui a sacrifié sa vie pour étudier un manuscrit ancien d'une importance capitale et qui, devenu vieux, découvre qu'il s'agit d'un faux. Représentée pour la première fois à Paris le 26 septembre 1926, la pièce avait été créée par la même troupe quelques jours plus tôt (le 6 décembre) au Grand-Théâtre de Monte-Carlo dirigé par Robert Blum, le frère du grand leader socialiste.

4. Harry Baur. Comme Signoret et Pagnol, il venait de Marseille lui aussi. Il créa le rôle de Blaise, le vieux professeur. Quelques années plus tard il créera au théâtre le rôle de César dans *Fanny*.

5. Harry Baur et Pierre Blanchar. (Première scène de l'acte III). Blaise, le vieux professeur, sous le coup de sa terrible déception, voit apparaître le fantôme du jeune homme qu'il a été.

6. Harry Baur et Orane Demazis. C'est la dernière scène de l'acte III. Blaise vient de déclarer son amour à sa jeune élève Cécile.

1

2

THÉATRE DES ARTS

Tél.: Wagram 56-03 | 78 bis, Boulevard des Batignolles, 78 bis | Métros: VILLIERS et ROME

Directeur : RODOLPHE-DARZENS

BUREAUX à 20 h. 15 et 2 h. 15 — RIDEAU à 20 h. 45 et 2 h. 45

HARRY-BAUR

PIERRE BLANCHAR

"JAZZ"

Comédie dramatique, en 4 actes, de Marcel PAGNOL
Décors de M. Eugène PRÉVOST

JEAN D'YD

ALBERT COMBES

PAULE MARSA   MARC VALBEL

Paul CASTAN

EVELYNE MARLY   RENÉ KOK   RENÉE FOURNIER

JACQUES FAURON   ROGER ROUSSOT
et

ORANE DEMAZIS

MATINÉES : Dimanches et Fêtes

3

4

5

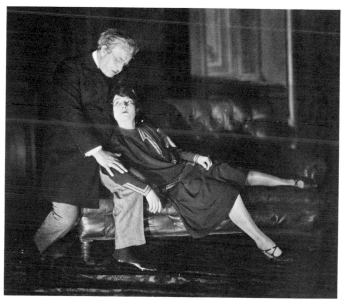

6

1

2

3

4

André Lefaur crée Topaze aux Variétés

1. L'affiche de _Monsieur Topaze_. Jusqu'aux premières répétitions le titre de la comédie de Marcel Pagnol était _Monsieur Topaze_. Quand Pagnol vit cette affiche dans le bureau de Max Maurey, le directeur des Variétés, il lui sembla que le titre était trop long et il proposa de supprimer « Monsieur ».

2. L'affiche de _Topaze_. Pagnol avait choisi ce nom Topaze pour faire pendant à Tamise, l'autre pion de la pension Muche.

3. Pauley, créateur de Castel-Bénac. Il faisait partie de la troupe fixe des Variétés. Cette photo, comme celles de Larquey, de Lefaur et de Max Maurey, est extraite du programme de _Topaze_ lors de la création.

4. Jeanne Provost. Lefaur, qui était un peu misogyne, disait d'elle : « _C'est une des rares comédiennes qui savent prendre l'air de comprendre ce qu'on leur dit et même ce qu'elles disent._ »

5. Pierre Larquey. Il était marchand de jouets. On l'avait engagé pour doubler le personnage de Tamise. Il le créa avec un immense succès.

6. André Lefaur. « _Il était un peu vieux pour le rôle, disait Pagnol,_

6

7

mais un *Topaze* de vingt-cinq ans
n'aurait pas eu l'expérience suf-
fisante pour porter un rôle aussi
lourd. »

7. Marcel Pagnol par Rip. Rip, le
célèbre auteur de revues, était un
excellent dessinateur.

8. Max Maurey était le directeur
du théâtre. *Topaze* était, après
Triplepatte de Tristan Bernard,
la deuxième pièce qu'il présentait
aux Variétés.

**9. Le carton d'invitation pour la
générale** porte le premier titre de la
pièce : *Monsieur Topaze.*

1807

THÉÂTRE DES VARIÉTÉS
Direction MAX MAUREY

RÉPÉTITION GÉNÉRALE

MONSIEUR TOPAZE

Comédie en quatre actes
de M. Marcel PAGNOL

Fauteuil d'Orchestre

72·74

M. *A. Bloch*   LA DIRECTION.

*Les Dames ne sont admises aux Fauteuils d'Orchestre
et de Balcon que SANS CHAPEAU*

Cette invitation étant personnelle, la Direction vous prie instamment
de la lui retourner au cas où vous ne l'utiliseriez pas vous-même.

8   9

Ils vont jouer Topaze plus de mille fois

1

1. La classe de *Topaze* au premier acte, à la pension Muche. « *Le soir de la générale,* raconte Pagnol, *cette scène me parut interminable.* » Caché dans une loge d'artiste abandonnée au dernier étage du théâtre, n'entendant aucun rire, aucun brouhaha, il pensait pour se rassurer qu'« *on n'a jamais vu un premier acte déclencher une ovation, sauf peut-être le premier acte de* Cyrano ». C'était le mercredi 9 octobre 1928.

2. Les conseils de Tamise. Pierre Larquey qui créa le rôle de Tamise, le pion, jouera deux fois le rôle au cinéma — à dix-huit ans d'intervalle. Dans la version Paramount avec Jouvet en 1932 et dans la version Films Pagnol avec Fernandel en 1950.

3. La scène du « vénérable vieillard » (au troisième acte). C'est une scène chef-d'œuvre. Le rôle du vénérable vieillard a été créé par Saint-Paul qui était aussi le régisseur du théâtre et qui avait participé à la mise en scène de la pièce avec l'auteur et Max Maurey.

4. La scène de la séduction (acte III) : Topaze fasciné par la beauté de Suzy, signe tous les papiers douteux qu'elle lui présente. Il est dorénavant compromis.

2

3

4

Raimu et Pierre Fresnay créent Marius.

1

1. L'affiche de *Marius*. *Marius* avait été « reçu » au Théâtre de Paris, le 6 janvier 1928. Mais les directeurs Simone et Léon Volterra hésitaient à se lancer dans l'aventure d'une pièce « avec l'accent ». Le triomphe de *Topaze* au mois d'octobre de la même année allait les décider. *Marius* fut créé le 9 mars 1929. Quand on regarde cette affiche, on s'aperçoit que Pagnol a trouvé dès *Marius* tous les interprètes, Raimu, Charpin, Alida Rouffe, Orane Demazis, Dullac, Maupi, à qui il fera appel tout au long de sa carrière triomphale, écrivant pour eux des rôles sur mesure. Même Vilbert qui créera *César* au théâtre après la mort de Raimu débute ici dans le rôle — six répliques — de l'agent de police.

2. Pierre Fresnay à l'époque de *Marius*. Comédien de la formation la plus classique, passé par le Conservatoire et la Comédie-Française, Pierre Fresnay fut engagé par Pagnol et Volterra pour créer le personnage de Marius contre l'avis véhément de Raimu qui prétendait qu'on ne peut pas faire jouer le fils d'un patron de bar marseillais par un comédien à la fois protestant et alsacien. Avant d'accepter le rôle, Fresnay disparut quinze jours. Il était allé à Marseille, observer les gens, écouter leur accent, essayer de parler comme eux : exemple unique de conscience professionnelle. Le jour de son retour, Raimu le reconnut comme Marius et devint son plus chaud partisan.

3. Raimu et Pagnol en 1930. Photo prise dans la loge de Raimu au Théâtre de Paris. Raimu était le plus grand acteur de son époque. « *Dans son métier*, a dit Fresnay, *il avait toujours raison. Et comme c'est la profession par excellence où les erreurs par défaut de bon sens abondent, les occasions ne manquaient pas à Raimu de se heurter à l'absurde. La défense raisonnée de son point de vue n'étant pas son fort, la colère était pour lui le seul moyen de faire triompher une conviction qu'il savait juste.* »

50

2

3

Paris acclame César, Panisse, Monsieur Brun, Honorine, Fanny, Marius, etc.

1. Marius-Panisse. Avec *Marius*, Pagnol considérait qu'il avait écrit une comédie sur le canevas classique de la jeune fille que se disputent un jeune homme et un barbon – et dont les illustrations les plus brillantes sont *L'Ecole des Femmes* de Molière et *Le Barbier de Séville* de Beaumarchais. Panisse était pour lui le personnage important. César était un épisodique. C'est Panisse que Pagnol proposa comme rôle à Raimu. Celui-ci refusa, déclarant qu'il jouerait César. « *Parce que*, disait-il, *l'action se déroule dans le bar de César. Et ce n'est pas M. Raimu qui doit se déranger pour aller chez M. Charpin. C'est M. Charpin qui doit venir s'expliquer chez M. Raimu.* » Intuition géniale. L'immense talent de Raimu, son poids énorme, firent basculer l'équilibre de la pièce. Et sa ligne. Elle devint grâce à lui la pièce du « père et du fils ».

2. César et M. Brun. Le rôle de M. Brun a été créé par Pierre Asso qui l'abandonna quelques jours après. Il fut repris par Robert Vattier qui effectuait son service militaire à Versailles. Vattier était un peu jeune pour le personnage mais il deviendra, ce jour-là, lui aussi un sociétaire de la troupe de Marcel Pagnol avec qui il tournera toute sa vie. Son rôle dans *Marius* l'avait tellement marqué que toute sa vie on oubliera son nom et on l'appellera « Monsieur Brun ».

3. Fanny et Honorine. Scène du quatrième acte. Honorine qui a découvert, couchés ensemble, Marius et Fanny, traite celle-ci de « *fille perdue* ». Honorine, c'est Alida Rouffe. Alida Rouffe était une comédienne de l'Alcazar de Marseille. C'est Raimu qui avait pensé à elle. Tous les critiques parisiens les plus difficiles, Antoine, Lucien Dubech, Paul Reboux, Maurice Rostand, saluèrent sa création dans Honorine comme une performance de très grande actrice.

1

2

3

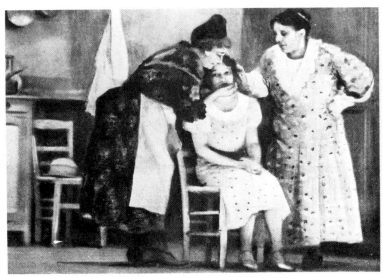

1

2

3

On crée Fanny avec Harry Baur

1. L'affiche de *Fanny*. *Fanny* a été créée sur la même scène que *Marius*, au Théâtre de Paris le 5 décembre 1931. Bouleversement considérable : ce n'est pas Raimu qui joue César, c'est Harry Baur. Une très violente altercation avait, pendant l'une des premières répétitions, opposé Raimu et le directeur du théâtre, Léon Volterra, qui, pour finir, avait retiré le rôle à sa vedette. Tous les efforts de Pagnol pour les réconcilier furent vains. On confia alors le rôle de César à Harry Baur qui avait créé *Jazz* et savait prendre l'accent de Marseille

— il y avait vécu. Alida Rouffe avait été victime d'un accident de chemin de fer et c'était une autre comédienne de l'Alcazar qui jouait son rôle : Mme Chabert. Enfin c'est Berval qui créa dans *Fanny* le rôle de Marius.

2. Honorine, Fanny et Milly Mathis. C'est à Orane Demazis que Marcel Pagnol a dédié *Fanny*. Dans sa dédicace, il reprend ce qu'avait écrit René Fauchois à son sujet : « *Elle a été Fanny elle-même, tellement Fanny que nous ne pourrions pas*

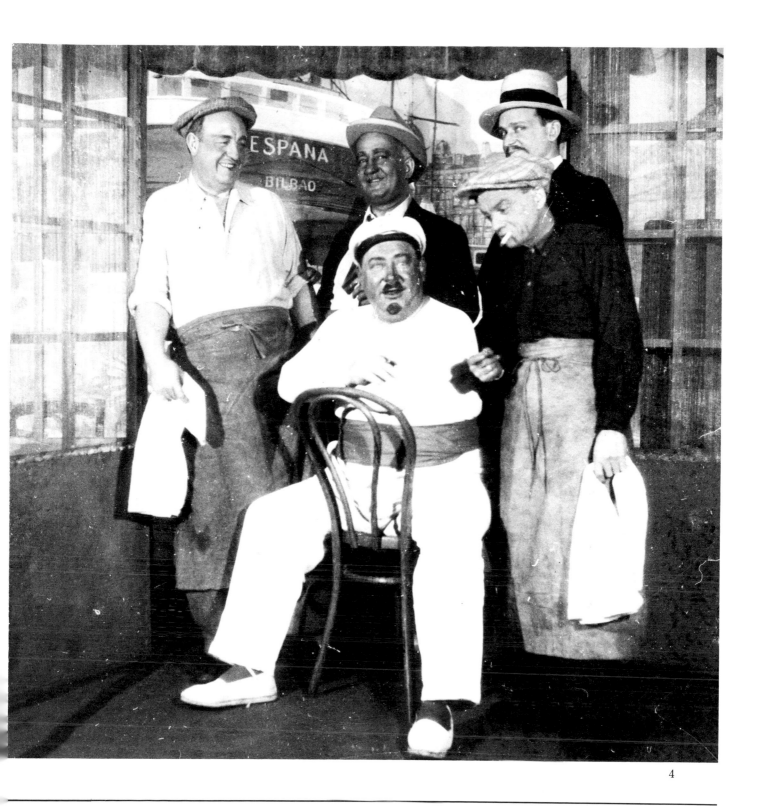

4

l'imaginer différente... *Si l'ombre de Réjane (1) erre encore sur le proscenium de ce théâtre, elle a dû frémir de joie.* » Milly Mathis (on ne sait pas pourquoi elle ne figure pas sur l'affiche) jouant la tante Claudine, entrait à son tour dans la troupe de Pagnol qu'elle ne quittera plus.

3. Le retour de Marius (acte III, dernière scène). Le rôle de Marius

(1) Réjane fut avec Sarah Bernhardt la plus grande comédienne française de l'époque 1900. Elle créa *Madame Sans-Gêne* et le Théâtre de Paris était son théâtre.

dans *Fanny* est assez court. Le personnage n'apparaît qu'au dernier acte. Aussi Pierre Fresnay avait-il pris un engagement ailleurs. Berval était le jeune premier de l'Alcazar de Marseille. Il jouait la comédie, il dansait, il chantait. Il était surtout d'une beauté sublime. « *Volterra, écrit Pagnol, l'avait engagé, spéculant bassement sur son sex-appeal autant que sur son talent.* »

4. Les amis du Bar de la Marine. César, Panisse, M. Brun, Escartefigue et le chauffeur : Harry Baur

excepté, tous, Charpin, Vattier, Dullac et Maupi, avaient joué *Marius* huit cents fois.

3

Le cinéma se met à parler

Un soir de 1929, dans un restaurant de la rue Blanche, voisin du Théâtre de Paris qui affichait *Marius*, Pagnol voit entrer Pierre Blanchar. Ils étaient très amis. Pierre Blanchar revenait de Londres, tout excité. « *J'ai vu là-bas*, dit-il à Pagnol, *quelque chose d'admirable et d'extraordinaire : un film parlant.* » Marcel Pagnol, surmontant sa phobie viscérale des voyages en bateau, fit le voyage à Londres — à la découverte de la nouvelle machine magique. Subjugué par ce qu'il avait vu et qui dépassait tout ce qu'il avait imaginé, il comprit tout de suite que l'art dramatique vivait une véritable révolution, que tout allait recommencer, qu'il vivait les premiers jours d'une ère nouvelle. Le cinéma parlant offrait aux auteurs dramatiques un moyen d'expression aux possibilités fabuleuses.

Quelques mois plus tard, pour répondre à la formidable demande de films parlants, venue des salles qui, dans le monde entier, s'équipaient en appareils nouveaux, l'une des firmes les plus importantes de Hollywood, la Paramount, installe à Paris une unité de production — à l'américaine — avec des studios à Joinville, avec des metteurs en scène venus d'Amérique, des scénaristes, des auteurs engagés au mois, organisés en cellules de travail et interchangeables. Le directeur américain, Robert T. Kane, achète aussitôt à Pagnol, les droits cinématographiques de *Marius* et de *Topaze*. *Marius* est tourné en 1931, *Topaze* en 1932. L'un et l'autre avaient terminé leur carrière au théâtre.

« *Le cinéma parlant a probablement sauvé la force créative de Pagnol*, expliquait son ami Marcel Achard. *Le triomphe est un calvaire. Imaginez. Mille représentations de* Topaze *! Mille représentations de* Marius *! Mille représentations de* Fanny *! Marcel n'aurait plus osé prendre son porte-plume. Comme Edmond Rostand, qui après* Cyrano *mit cinq ans pour faire* L'Aiglon *et après* L'Aiglon, *dix ans pour faire* Chantecler. *Grâce au cinéma nouveau, Pagnol, passionné, se décide à écrire sur pellicule. Et pour notre plaisir à tous il continuera son œuvre.* »

Alexandre Korda tourne « Marius » avec ses créateurs

1. Le programme de *Marius*. La Paramount avait, en même temps que ses studios, créé à Paris sur les Grands Boulevards la salle de cinéma qui a gardé son nom. Pagnol était si célèbre que c'est son visage — et non pas celui de Raimu ni celui de Pierre Fresnay — qui figure sur la couverture.

2. La première affiche. Le dessinateur a évoqué le « Vieux Port » de Marseille tel qu'on le voit page 30. Robert Kane, directeur de la Paramount-France, avait envisagé, selon la technique américaine, de réunir pour le film une distribution tout à fait cinéma. Il voulait faire jouer Marius par Henri Garat, Fanny par Meg Lemonnier, César par Victor Francen et Honorine par Marguerite Moreno. Finalement Pagnol le persuada de reprendre au cinéma les acteurs qui avaient créé la pièce et qui l'avaient jouée huit cents fois à Paris.

3. Les auteurs de *Marius* au cinéma. La photo a été prise aux studios de Joinville. A la droite de Marcel Pagnol, Alexandre Korda, metteur en scène hongrois qui avait appris son métier à Hollywood, et qui plus tard s'installera à Londres, se fera naturaliser anglais et deviendra un des plus grands metteurs en scène des îles Britanniques. A l'égard de Korda, Raimu d'abord fut méfiant : « *Ils ont fait venir un tartare d'Olivod*, disait-il, *pour tourner un film marseillais.* » Puis tout s'arrangea. Marcel Pagnol a dit toute sa vie, à propos de Korda : « *Il m'a tout appris.* » Le gros monsieur à gauche s'appelle Jacob Karol. Paramount produisait les films directement en plusieurs versions. C'est-à-dire que dans les mêmes décors — ce fut le cas pour *Marius* — l'équipe des acteurs français tournait les scènes en français, puis une équipe d'acteurs allemands tournait la même scène en allemand. Enfin on faisait de même avec les acteurs suédois. Jacob Karol était le traducteur attitré de la Paramount pour les dialogues en allemand.

1

2

Ils deviennent, grâce au cinéma, des héros nationaux

1. Marius et Fanny sont les héros de la trilogie. Marius a 22 ans. Il est « *pensif et gai* ». Fanny a 18 ans. Ils s'aiment mais quand Fanny lui dit : « *Tout de même, c'est beau la vie* », Marius répond : « *Oui, mais c'est compliqué.* » Dans *Marius*, comme partout, les amoureux sont seuls au monde.

2. La terrasse du Bar de la Marine. C'est le lieu de l'action. Le Bar de la Marine se trouvait sur le quai latéral gauche du Vieux Port. De gauche à droite, Panisse (Charpin), M. Brun (Robert Vattier), César (Raimu), Marius (Pierre Fresnay) et Fanny (Orane Demazis).

3. La partie de cartes. On sait que Pagnol avait coupé la scène et que ce fut Raimu qui la réintégra dans la pièce. Elle avait eu au théâtre un immense succès. Il en fut de même au cinéma. Elle connut encore un troisième succès. En reportant sur cire la bande sonore de la scène, on édita un disque double face de la *partie de cartes* qui fut vendu à plusieurs centaines de milliers d'exemplaires, ce qui, à l'époque du 78 tours, représentait un record. Marcel Achard disait : « *Les deux répliques les plus connues de tout le théâtre français sont : « Rodrigue, as-tu du cœur ? » et « La marine française te dit Merde ».* »

1

3

2

4

4. La surprise d'Honorine. Revenue d'Aix plus tôt que prévu, Honorine rentrant chez elle va avoir une surprise. Elle va trouver Fanny couchée dans les bras de Marius.

5. Le départ de Marius. C'est la scène de la séparation. Fanny a compris que le bonheur de Marius c'était de partir sur la *Malaisie*. Et elle sacrifie son amour au bonheur du garçon qu'elle aime !

5

Le Marius français, le Marius suédois, le Marius allemand

1. La première du film *Marius* au cinéma Paramount fut un véritable triomphe. Le soir même Raimu invitait Marcel Pagnol et Orane Demazis à dîner dans un restaurant marseillais célèbre à l'époque, « Chez Nine », spécialiste renommée de la bouillabaisse. Et Raimu dont on sait le grand respect qu'il avait pour les auteurs en général et pour Pagnol en particulier, fit faire cette photo de la soirée. Marcel Pagnol assis en triomphateur, entouré de lui-même, de Nine et d'Orane Demazis. On remarquera la grande allure de Raimu. « *Il était à la ville d'une remarquable élégance*, a écrit Marcel Pagnol, *non pas voyante, mais riche et de bon goût. Ses pardessus étaient admirés et souvent copiés. Il changeait chaque jour de cravate et le plus célèbre bottier de Paris taillait ses chaussures dans des cuirs précieux, sévèrement choisis.* » « *A côté de lui*, disait Jean Cocteau, *on a toujours l'air d'un clochard.* »

2. Raimu - César. Dessin de Toë.

3. Pagnol entre deux Fanny. *Marius* fut tourné simultanément en trois versions : française, allemande et suédoise. Il y avait en même temps à Joinville trois César, trois Marius, trois Panisse, trois Honorine, trois Fanny. Marcel Pagnol pose ici entre la Fanny suédoise (Karin Swanström) et la Fanny française (Orane Demazis).

4 et 5. La version allemande. Alexandre Korda avait assuré aussi la mise en scène de la version allemande tournée simultanément et sortie sous le titre *Zum Goldenen Anker* (L'Ancre d'Or). Le rôle de César était joué par Albert Bassermann, un des grands comédiens allemands de l'époque. Fanny par Lucie Hotlich.

6 et 7. La version suédoise. Mise en scène de John W. Brunius. Titre : *Langtan Till Havet* (l'Appel de la Mer) avec Inga Tidbald, Advin Adolphson et Karin Swanström.

1

2

3

4

5

6

7

1

2

3

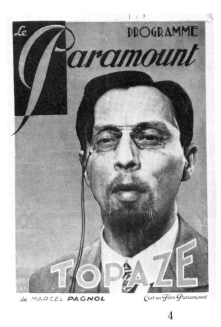

4

On tourne Topaze avec Jouvet

1. Les auteurs de la Paramount. Réunis au cours d'une réception autour de M. Berthod qui était alors ministre, l'équipe des auteurs salariés, recrutés par la grande firme américaine. De gauche à droite, de dos Pierre Benoit (*La Châtelaine du Liban, Kœnigsmark, L'Atlantide*), Marcel Pagnol, le prince Bibesco, ami de Proust, M. Berthod, Tristan Bernard (*Triplepatte, Le Costaud des Epinettes, Le Petit Café*) et Alfred Savoir (*Banco, La Huitième Femme de Barbe-Bleue)* qui était le chef du service des scénarios.

2. Léopold Marchand, un des auteurs importants de l'époque, avait été chargé par la Paramount d'adapter *Topaze* pour le cinéma et « en écrire le dialogue ». C'étaient les mœurs d'Hollywood. Léo, ami de Pagnol et qui l'avait conseillé pour monter sa pièce au théâtre, s'acquitta de cette tâche avec une grande délicatesse et réussit à ne pas se fâcher avec l'auteur. C'est Louis Gasnier qui avait travaillé à Hollywood, qui réalisa ce premier *Topaze*. Pagnol a toujours considéré que « *la Paramount avait assassiné son œuvre.* »

3. Jouvet à l'époque de *Topaze*. Sur ses genoux, sa fille Liza.

6

5

7

8

4. Le programme de *Topaze.* Le film sortit au Paramount, le 10 janvier 1933.

5. Suzy Courtois et Topaze. Edwige Feuillère qui va faire au cinéma une très grande carrière, jouait le rôle créé par Jeanne Provost.

6. La classe de Topaze.

7. Topaze et M. Muche. Marcel Vallée avait créé le rôle au théâtre

8. Topaze et les balayeuses du fameux système « Topaze ».

9. Suzy et Topaze à la fin du film.

9

1

On rappelle Raimu pour tourner Fanny

1. On tourne *Fanny* (1932). En studio à Joinville. En extérieurs à Marseille. Cette fois Pagnol veut être le producteur du film et il s'associe avec un jeune producteur audacieux, récemment arrivé de Marseille et fasciné lui aussi par l'avenir du parlant : Roger Richebé, propriétaire de tout un réseau de salles dans le Midi entre Marseille et Nîmes. Pour tourner *Fanny*, Pagnol a retrouvé Raimu, Alida Rouffe et Pierre Fresnay. Le succès de *Fanny* au théâtre n'avait jamais égalé celui de *Marius*. Au cinéma il allait le dépasser. « *J'en conclus*, dit Pagnol, *que l'absence de Raimu, de Fresnay et d'Alida Rouffe a pesé lourdement sur le succès de*

l'ouvrage au théâtre. Le public est fidèle et il a bonne mémoire. » *Fanny* porté au cinéma fut un succès financier considérable.

2. Sur la Canebière. Raimu, Marcel Pagnol, Orane Demazis et le metteur en scène de *Fanny*, Marc Allégret. Marc Allégret avait débuté dans la mise en scène en tournant pour Roger Richebé *Le Blanc et le Noir* de Sacha Guitry, avec Raimu. Il réalisa *Fanny* selon Pagnol « *avec une sensibilité et une autorité qui eurent une grande part dans le succès de l'ouvrage* ». Il avait comme script-girl une jeune femme qui deviendra célèbre, Françoise Giroud.

2

3

3. Richebé et Pagnol. A Marseille, pendant le tournage de *Fanny*. Les deux hommes se connaissaient depuis *Marius*. En effet, quand la Paramount avait voulu engager Raimu pour tourner *Marius*, celui-ci avait signé un contrat d'exclusivité pour le cinéma avec Richebé dont Pagnol avait pu obtenir l'accord. La collaboration Pagnol-Richebé durera encore quelques années.

4. L'affiche de *Fanny* par Dubout.

4

1

La pétanque, la Bonne-Mère, le Vieux Port, c'est la gloire de Marseille

1. La partie de pétanque. Les joueurs de boules arrêtant le tramway fut une des scènes ajoutées à *Fanny* pour les besoins du cinéma. César mesure, sous l'œil attentif de Panisse. Retrouvant cette photographie dans les archives de son mari vingt ans plus tard, Jacqueline Pagnol reconnut le watman : c'était son oncle Bouvier qui à l'époque faisait des cachets de figurant.

2. Fanny montant à Notre-Dame de la Garde. On voit derrière Orane Demazis, le panorama de Marseille et du Vieux Port. La séquence où Fanny sortant de chez le docteur qui lui a dit qu'elle était enceinte, tra-verse Marseille et monte à Notre-Dame de la Garde, est considérée aujourd'hui par tous les jeunes metteurs en scène comme un véritable tour de force cinématographique. Elle fut tournée par des cameramen qui suivaient Fanny dans les rues de Marseille, sans que personne ne sache qu'on tournait un film, sans que le trafic soit interrompu.

3. Le chœur antique. Il est en place dès le début du film. César, M. Brun, le chauffeur, Panisse, Escartefigue et Honorine.

4. La scène de l'aveu. Aux côtés d'Alida Rouffe (Honorine) et d'Orane

2

3

4

5

6

Demazis, ce sont ici les débuts au cinéma de Milly Mathis dans le rôle de tante Claudine.

5. Césariot. Au Pharo, la grand-mère Honorine et l'oncle César gardent Césariot. On aperçoit au fond un des piliers du Pont Transbordeur.

6. Le retour de Marius. Marius, revenu inopinément pour vingt-quatre heures, apprend que Fanny a eu un fils de lui, qu'elle a épousé Panisse et que ce dernier a reconnu l'enfant. Il veut rester, reprendre Fanny et son fils. Fanny le supplie de n'en rien faire. César approuve Fanny. Marius, on le sait, repartira.

4

La grande époque

1933 est une date-clé dans la vie et la carrière de Marcel Pagnol. Le public a réservé un accueil triomphal aux films tirés de *Marius* et de *Fanny*. Aussitôt une cabale d'une violence inouïe l'a pris pour cible. Elle regroupe tous les exégètes, tous les critiques, tous les réalisateurs nostalgiques du cinéma muet condamné par la révolution du « parlant », révolution dont Pagnol est le génie malfaisant. Aucune injure n'est trop basse contre lui.

Pour répondre à ces attaques, Marcel Pagnol lance un magazine *Les Cahiers du Film* dans lequel il écrit « sa vérité ». Avec le solide bon sens qui a toujours été une de ses forces, il affirme — ce qui rend furieux ses adversaires — d'abord que le cinéma muet était un infirme et que le cinéma parlant l'a tué définitivement, ensuite que le cinéma parlant doit parler et que, de toute façon, ce n'est pas un art mais un moyen d'expression avec lequel on peut en effet réaliser des œuvres d'art. Jean Renoir et Sacha Guitry viendront bientôt se ranger à ses côtés dans son combat.

En 1933, Marcel Pagnol — c'est le premier auteur qui a cette audace — fonde sa maison de production, « Les Auteurs Associés », formule inspirée par les « Artistes Associés » que viennent de créer à Hollywood Chaplin, Douglas Fairbanks et Mary Pickford. En 1934 « Les Auteurs Associés » deviennent « Les Films Marcel Pagnol ». C'est décidé. Pagnol a choisi définitivement le cinéma.

En 1939, quand la guerre éclatera, Marcel Pagnol aura sa maison de production, ses studios, ses ateliers de décor, ses laboratoires, son équipe technique engagée au mois, ses salles de montage, ses salles de projection. Il aura sa maison de distribution, des agences dans toutes les grandes villes. Il aura tourné *Regain, César, Angèle, Le Schpountz, La Femme du Boulanger*, etc. Il n'aura gagné à sa cause ni les critiques, ni les beaux esprits du cinéma pour qui il reste toujours le « Monsieur Jourdain du cinéma ». Aucun de ses films n'a jamais eu le moindre prix dans aucun festival. Mais ils ont été joués devant des foules enthousiastes. Et on continuera de les jouer partout et toujours. On les joue encore aujourd'hui avec le même succès. Il a fait fortune. Il est le maître absolu de son destin cinématographique.

C'est un cas unique dans l'histoire du cinéma mondial.

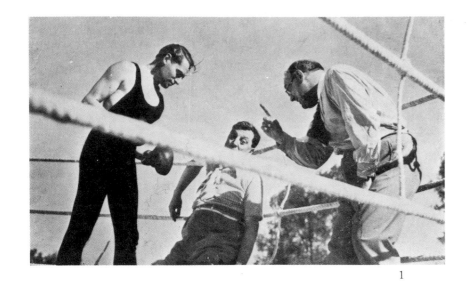

1

2

3

4

Pagnol fait ses gammes de metteur en scène

1 et 2. *Un Direct au Cœur* (1933). Marcel Pagnol et Paul Nivoix avaient fait jouer à Lille en 1926, par Pierre Bertin et André Berley, une comédie, *Direct au Cœur*. Il s'agissait d'une satire des milieux de la boxe. Europa-Film en tira un film mis en scène par Roger Lion. Tous les comédiens en sont aujourd'hui oubliés.

3 et 4. *L'Agonie des Aigles* (1933). Associé avec Roger Richebé (comme pour *Fanny*), Marcel Pagnol produit un film tiré du roman célèbre de Georges d'Esparbès : *L'Agonie des Aigles*. Marcel Pagnol en écrit le scénario et les dialogues. Il est interprété par Annie Ducaux et Pierre Renoir, par Constant-Rémy, Balpétré et Daniel Lecourtois.

5. Pagnol metteur en scène. Le premier film mis en scène par Marcel Pagnol était tiré de la pièce d'Emile Augier et Jules Sandeau, *Le gendre de Monsieur Poirier*, comédie de satire sociale, comme *Topaze*. On voit ici Pagnol écoutant les explications de Jean Debucourt qui était à la fois l'interprète du film et son directeur artistique.

6. *Le Gendre de Monsieur Poirier* (1933). Jean Debucourt joue le marquis Gaston de Presles et Annie Ducaux, Antoinette Poirier.

7. Le moulin d'Ignières. Pagnol avait acheté le moulin d'Ignières dans la Sarthe. C'est là qu'il a tourné *Le gendre de Monsieur Poirier*.

5

6

7

Le retour aux collines : Jofroi

1. Pagnol et Scotto tournent Jofroi (1933). Pour son deuxième film, Pagnol revient chez lui à La Treille. Il tourne *Jofroi*, sa première adaptation au cinéma d'une nouvelle de Jean Giono, *Jofroi de la Maussan*. Le rôle du paysan têtu qui a vendu son verger mais qui ne veut pas qu'on en arrache les arbres « *même s'ils ne font plus de fruits* », vaudra à son interprète, le compositeur Vincent Scotto, pour le seul film qu'il ait joué, un grand prix d'interprétation donné par les critiques new-yorkais.

2. Scotto - Joffroi. Le jour où Pagnol avait lu son œuvre aux comédiens déjà engagés pour le film,

Scotto était là : il devait composer la musique du film. Il était déjà l'auteur de la musique de *Fanny*. A la fin de sa lecture, Pagnol avoua : « *L'embêtant, c'est que je n'ai pas encore trouvé le comédien qui jouera Jofroi.* » Scotto laissa partir tous les assistants, puis, quand il se trouva seul avec Pagnol, il lui dit : « *J'ai une idée pour le rôle de Jofroi : Pourquoi pas moi ?* » Pagnol décida de tenter l'aventure.

3 et 4. Charles Blavette et Henri Poupon débutent dans *Jofroi*. On les retrouvera dans presque tous les films de Pagnol.

1

2

3

4

La bataille des Cahiers du Film

1

2

3

1, 2 et 3. Les trois « une » du magazine *Les Cahiers du Film,* créé par Marcel Pagnol pour répondre aux attaques portées contre lui et contre ses films par les partisans nostalgiques du « cinéma muet ». Sous le titre *Cinématurgie de Paris,* titre un peu prétentieux qui voulait rappeler au lecteur la célèbre *Dramaturgie de Hambourg* de Lessing, Pagnol y développe ses idées sur le cinéma nouveau et son avenir. C'est son *Discours de la Méthode.* La « une » du n° 1 représente Léon Bernard dans *Le gendre de Monsieur Poirier,* celle du n° 2 Marguerite Valmont dans *Léopold le Bien-Aimé* qu'Arno-Charles Brun avait réalisé pour les Auteurs Associés, celle du n° 3 enfin, Orane Demazis dans *Angèle.* Les *Cahiers du Film* n'eurent que trois numéros tirés à 5 000 exemplaires, vendus à moins de 2 000, mais les articles de Pagnol furent repris dans toute la presse, provoquèrent des commentaires, des polémiques, et eurent un retentissement considérable.

4. Robert Le Vigan dans *L'Article 330* (1933). Pour illustrer sa formule : « *Le cinéma parlant doit parler* » Pagnol tourne, en respectant scrupuleusement le texte de Georges Courteline, sa célèbre pièce en un acte *L'Article 330.* Le Vigan joue La Brige.

5. Pagnol par Toë. Toë, dessinateur et caricaturiste, était chargé de la publicité des films Pagnol et assurait la rédaction en chef des *Cahiers du Film.*

6 et 7. Raimu - Tartarin. Pagnol en a écrit le scénario et les dialogues pour Pathé-Nathan. Raymond Bernard *(Les Croix de Bois, Les Misérables)* en était le metteur en scène. Raimu était bien entendu Tartarin de Tarascon, le célèbre chasseur de casquettes imaginé par Alphonse Daudet. Et à ses côtés Charpin (à droite sur la photo).

4

6

5

7

1

Pagnol tourne Angèle d'après Giono

1. Marcel Pagnol engage Fernandel pour la première fois en 1934 pour lui faire jouer, dans *Angèle*, le personnage de Saturnin, pupille de l'Assistance publique et valet de ferme un peu simplet qui aime d'un amour impossible Angèle, la fille de ses maîtres, et qui ira jusqu'au meurtre pour la délivrer du mauvais garçon qui l'oblige à se prostituer. Fernandel a trente et un ans. Il vient du music-hall.

2. Jean Giono à l'époque d'*Angèle*. Comme *Jofroi*, c'est d'une nouvelle de Jean Giono, extraite de son livre *Un de Baumugnes*, que Pagnol a tiré l'histoire d'*Angèle*. Jean Giono a alors trente-cinq ans.

3. L'affiche d'*Angèle* (auteur inconnu).

4. Le dîner à la ferme. Autour du maître, Clarius Barbaroux (Henri Poupon), paysan juste et fier, Saturnin (Fernandel), Angèle (Orane Demazis) et sa mère Philomène (Annie Toinon).

5. Le mauvais garçon. Andrex, comédien et chanteur de music-hall était un ami d'enfance de Fernandel. C'est Fernandel qui l'avait présenté à Pagnol.

6. La scène de la maison close. C'est la grande scène du film.

7. La résurrection. Albin, un de Baumugnes (Jean Servais), amoureux d'Angèle depuis le premier jour, l'a retrouvée, elle l'a épousé, il a adopté son bébé.

2

ANGÈLE

UN FILM DE MARCEL PAGNOL
Tiré de "UN DE BEAUMUGNES" Roman de JEAN GIONO
ORANE DEMAZIS ET FERNANDEL
HENRI POUPON - E. DELMONT - ANDREX - TOINON
ET JEAN SERVAIS
LES FILMS MARCEL PAGNOL, 13, Rue Fortuny, PARIS.

3

4

5

6

7

1

Angèle : un géant est né : Fernandel

1. Saturnin a ramené Angèle à la ferme, mais le maître de la ferme, Clarius Barbaroux, fou de honte, séquestre sa « fille perdue » et son bébé dans la cave. Avant *Angèle*, Fernandel avait tourné surtout des vaudevilles militaires *(Le Coq du Régiment, La Garnison Amoureuse, Le Cavalier Lafleur, etc.)*. Certes, Jean Renoir l'avait engagé pour *L'Hôtel du Libre Echange* et Tourneur pour *Les Gaietés de l'Escadron*, d'après Courteline, où il avait comme partenaires Raimu et Jean Gabin. Mais il était toujours considéré comme un comique assez lourd. Sa création dans *Angèle* fut le tournant de sa carrière. Le lendemain de la

première d'*Angèle*, la presse unanime saluait en Fernandel un comédien sublime, l'égal des plus grands, le rival de Raimu.

2. Lettre de Fernandel écrite à Nîmes. Elle prouve que, dès son premier film avec Marcel Pagnol, Fernandel avait compris, ce que beaucoup de critiques niaient, le souffle nouveau que l'auteur de *Topaze* apportait au cinéma.

HOTEL
DU LUXEMBOURG
NIMES
—
ROBERT TRAMU
DIRECTEUR-PROPRIÉTAIRE
—
TÉLÉPHONE : 22-75
Adresse Télégraphique : LUXEMBOURG - NIMES
R. C. NIMES 13.962

NIMES, LE 19 novembre 1934
CENTRE D'EXCURSIONS

Mon Cher Pagnol,

Je reçois aujourd'hui seulement votre amicale adressée au Palace d'Avignon, et je m'empresse d'y répondre.

Je suis autant navré que vous d'être obligé, vu le contrat que j'ai signé, de ne pouvoir plus faire partie pour une durée de deux ans de votre équipe car j'ai emporté du film Angèle et de vous surtout un excellent souvenir, j'aurais aimé continuer a tourner pour votre production qui je ne crains pas de le dire, bien haut, à tous et à toutes, marque une nouvelle époque dans le Cinéma, malgré ma bonne volonté je ne le puis, les contrats sont là et je dois les respecter je ne vous propose pas d'écrire à mon producteur Monsieur Calamy car je suis certain qu'il vous refuserait.

Laissez moi vous dire la joie que j'ai éprouvé devant le succès d'Angèle et si ma création de Saturnin vous a donnée pleine satisfaction, c'est a votre dialogue que je le dois, je ne l'oublierai pas et à la fin de mon contrat je serai des vôtres et Croyez, Mon Cher Ami, à mon amitié sincère.

Fernandel

Coliseé Nimes
Jusqu'au 21 courant
Apollo Bordeaux
22 courant

Les Cigalon,
Topaze bis
et Merlusse

1

1. Cigalon (1935). C'est l'histoire d'un cuisinier si fier de son talent qu'il se refuse à préparer des plats pour des clients incapables d'en apprécier la qualité exceptionnelle. Il s'agit d'un film de métrage moyen qui devait être couplé avec *Merlusse*. Pagnol confia le rôle de Cigalon à Arnaudy. *Cigalon* fut tourné entièrement à La Treille comme *Jofroi*. Henri Poupon et Alida Rouffe faisaient partie de la distribution. *Cigalon* ne fut pas un succès. « *Cigalon n'a jamais fait rire que moi* », disait Pagnol. C'est pourtant une œuvre à laquelle il tenait beaucoup.

2. Poupon. Cigalon. Dans une première version de *Cigalon* non exploitée, Henri Poupon jouait le rôle de Cigalon avec Annie Toinon.

3. Topaze bis. Marcel Pagnol considérait que la Paramount avait assassiné *Topaze*. Il en tourna une deuxième version en 1936. En confiant le rôle de Topaze à Arnaudy. Arnaudy, comédien marseillais, avait joué la pièce en tournées des centaines de fois. Pagnol fut si peu satisfait de cette seconde version qu'elle ne fut presque pas exploitée.

4. Merlusse. Une des œuvres les plus réussies de Marcel Pagnol. *Merlusse* raconte l'histoire d'un vieux pion de lycée dont la laideur terrorise les élèves. Chargé de surveiller les quelques déshérités qui couchent au dortoir la nuit du 25 décembre, Merlusse joue les Pères Noël. Ce conte merveilleux, Pagnol le tourne en 1935 dans les cours, les salles d'études, au réfectoire et dans le dortoir du lycée Thiers de Marseille où il a été élève. *Merlusse* sera pour Henri Poupon l'occasion d'une création inoubliable.

5. Poupon dans Merlusse. Merlusse en provençal signifie « morue ». C'est le surnom donné par les élèves du lycée au pion dont ils prétendent qu'il sent la morue.

6. Rellys. C'est dans *Merlusse* qu'on le voit apparaître pour la première fois chez Pagnol. Il joue l'appariteur du lycée.

2

3

4

5

6

César,
le grand finale
de la trilogie

1. Avec Pierre Fresnay et Raimu. En 1936, à Marseille pendant les prises de vues de *César*. Pierre Fresnay porte une salopette de mécanicien exigée par son rôle. Alors que Raimu va continuer sa carrière en tournant régulièrement des films de Pagnol, il en ira tout différemment pour Pierre Fresnay. Les relations entre Pagnol et Fresnay avaient été excellentes mais, *César* terminé, les deux hommes ne travailleront plus jamais ensemble et se reverront très rarement. « *Peut-être quatre fois*, dira Fresnay, rendant hommage à Pagnol le jour de sa mort. *C'est stupide ! Parce que nos neuf années de collaboration ont été neuf ans de*

joie et de bonheur. Je maudis la vie moderne dont les exigences font cesser les amitiés, dès que le ciment du travail ne les maintient plus. »

2. *César* par Dubout. Affiche du film.

3. Raimu - César dans *César*. Le gros plan de Raimu dans *César* était une des photographies préférées de Pagnol. Dans sa carrière trop brève, Raimu interprétera les personnages les plus fameux, le capitaine Hurluret de Courteline, Tartarin de Daudet, les héros de Marcel Achard, Gribouille ou Noix de Coco, le colonel Chabert d'après Balzac ou l'éternel mari de Dostoiesvski. Mais son per-

1

2

3

sonnage numéro 1 restera César et pour toujours. Les exemples sont rares dans l'histoire de l'art dramatique d'un comédien et d'un personnage à ce point mêlés l'un à l'autre dans l'esprit du public. La raison de ce phénomène c'est que, à partir de *Marius*, Pagnol a écrit le rôle de César d'après Raimu lui-même, en l'observant, en l'écoutant. Il lui a donné ses réparties, ses tics. Il ne pouvait pas trouver de meilleur modèle. César est aussi, pour le grand public, le grand personnage de l'œuvre de Pagnol

Ceux du
Bar de la Marine
vingt ans après

1. Pagnol et Delmont. Dans *Marius*, Delmont jouait le rôle du second-maître de la *Malaisie*. C'est lui qui fait partir Marius. Dans *Fanny* et *César*, il devient le docteur Venelle. C'est lui qui fait accoucher Fanny. C'est lui qui soigne Panisse, malade. *« Delmont était un cas, expliquait Pagnol... Il y a trois sortes de comédiens. Celui que le spectateur appelle par son nom (on disait Raimu), celui qu'on désigne par le nom du personnage (on disait Panisse). Et enfin, celui qu'on désigne par son rôle. C'était le cas de Delmont. C'était un acteur de premier ordre, mais les spectateurs disaient de lui à la sortie du film : "Il est formidable, le docteur ou le vieux, ou celui qui va à la pêche ", etc. »*

2. L'enterrement de Panisse. Affiche de *César* par Dubout.

3. Les survivants. Pour Pagnol, *César* était son *Vingt ans après*. Panisse disparu, les trois mousquetaires de *Marius* et de *Fanny*, Escartefigue (Dullac), César (Panisse), M. Brun (Robert Vattier) se retrouvent à la terrasse du Bar de la Marine réchauffant leurs vieux jours au soleil du Vieux Port. Pagnol considérait que c'était l'une des grandes chances de sa carrière d'avoir pu ainsi tourner, à cinq ans d'intervalle, *Marius*, *Fanny* et *César* avec les mêmes comédiens dans les mêmes rôles.

4. La mort de Panisse - Charpin. Dans la première séquence du film. Il meurt d'une maladie de cœur, *« cette maladie qui vous tue en excellente santé »*.

5. La partie de cartes de *César*. A trois. Panisse n'est plus là. Mais tout machinalement on lui a donné ses cartes.

6. La douleur de Césariot. Césariot (André Fouché) qui se croyait le fils de Panisse vient d'apprendre la vérité sur sa naissance.

7. Marius et Fanny. Les retrouvailles : cette fois, elles sont définitives. La trilogie est terminée.

1

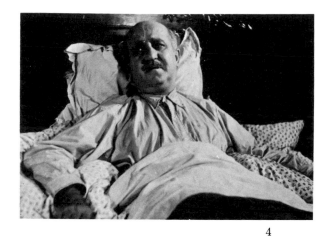

4

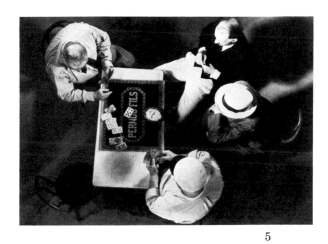

5

6

3

7

1

Regain : Pagnol fait renaître le village de Giono

1. Pagnol et Giono, en 1937, pendant les prises de vues de *Regain.* Giono vient de publier *Le Chant du Monde, Que ma joie demeure* et *Les Vraies Richesses.*

2. L'église d'Aubignanne. Aubignanne (Aubagne enrichi de trois lettres) c'est le village de *Regain* qui meurt et qui renaît. Pour tourner *Regain,* Pagnol a fait construire un village en ruine sur les barres de Saint-Esprit qui dominent La Treille. Une équipe de carriers et de maçons a été engagée sur place. Le maître d'œuvre, c'est Marius Brouquier, artisan maçon à La Treille, un camarade d'enfance de Pagnol pendant ses vacances dans les collines.

3. Gédémus, le rémouleur ambulant. Il fait chaque année le tour des collines en poussant sa carriole.

4. Le père Gaubert et Panturle. Delmont et Gabriel Gabrio.

5. Panturle et la zia Mamecha. Gabriel Gabrio et Marguerite Moreno.

6. Arsule et Gédémus. Gédémus qui a perdu le chien qui l'aidait à tirer sa carriole, embauche pour la même fonction, Arsule, pauvre chanteuse de café-concert, abandonnée dans un village des montagnes par son patron.

7. Panturle et Arsule. Arsule est restée à Aubignanne avec Panturle. Le village va renaître.

4

5

6

7

3

1

Le Schpountz ou la noblesse du comique

1. Le premier tour de manivelle (1937). Comme il y a l'idiot du village, il y a l'idiot du studio. C'est le Schpountz. Depuis le premier jour où il était entré dans le monde pittoresque du cinéma, Pagnol voulait tourner un *Topaze* du cinéma.

2. Le Schpountz. Fernandel.

3. Cousine est le photographe de plateau du film. Pierre Brasseur, en vacances, s'était amusé à jouer le rôle.

4. Avec l'oncle épicier. Fernandel et Charpin.

5. L'entrée au studio. Poupon y interprète Galubert, une vedette qui joue Napoléon.

6. Le retour du Schpountz. Casimir, le cousin (Jean Castan). Baptistin (Charpin), sa femme Clarisse (Odette Roger) admirent l'affiche qui représente Irénée.

7. La révélation. Le Schpountz vient de comprendre qu'il n'est pas un artiste dramatique, mais un comique. Ce qu'il trouve humiliant. Pour le rassurer, Orane Demazis répond par la tirade fameuse sur la noblesse du comique : « *Le rire c'est une chose humaine... une vertu qui n'appartient qu'aux hommes et que Dieu, peut-être, leur a donnée pour les consoler d'être intelligents.* »

4

2

5

6

3

7

La femme du boulanger : le mythe du pain

1. Raimu dans le boulanger. *La Femme du Boulanger* adapté d'un épisode du roman de Jean Giono : *Jean le Bleu*. Le plus beau rôle que Pagnol ait donné à Raimu. Quelques jours après la mort de Raimu, Pagnol vit entrer dans son bureau des Champs-Elysées un géant américain qui lui dit : « *Je voudrais rencontrer M. Raimu.* » Pagnol lui répondit que, hélas, M. Raimu était mort quelques jours plus tôt. Alors le visiteur se mit à pleurer. C'était Orson Welles. Il n'avait vu qu'un film de Raimu, à New York, *La Femme du Boulanger (Baker's Wife).* Orson Welles conclut : « *C'était le plus grand de nous tous.* » Sur la photo tout près de la caméra, une des collaboratrices les plus fidèles de Pagnol, Suzanne de Troie. Elle a réalisé le montage de presque tous les films de Marcel Pagnol et de Jean Renoir.

2. L'affiche du film par Dubout. Dubout s'est inspiré de la scène finale du film, celle où le boulanger qui n'ose pas faire le moindre reproche à sa femme, revenue au foyer, se met en colère contre sa chatte – Pomponnette – coupable d'avoir abandonné pendant quelques jours le chat de la maison, le brave Pompon.

3. Le boulanger et sa femme. Raimu et Ginette Leclerc. Pagnol avait longtemps hésité dans le choix de son interprète féminine. « *Pour que l'histoire tienne debout*, disait-il, *il faut qu'elle soit d'une beauté sublime.* » Il pensa même, pendant quelque temps, en faire un personnage invisible, comme l'Arlésienne. Ainsi chaque spectateur pourrait imaginer sa beauté à son goût. Puis il voulut engager l'Américaine Joan Crawford. Finalement, sur les conseils de Raimu, il choisit Ginette Leclerc. Comme Pagnol avait écrit le rôle pour Joan Crawford qui ne parlait pas le français, elle avait à dire, en tout et pour tout, 144 mots. Ce fut suffisant pour que Ginette Leclerc entre dans l'histoire du cinéma mondial.

1

2

Le Boulanger.
Raimu plus grand
que jamais

1. Les extérieurs de *La Femme du Boulanger* ont été tournés dans un petit village des environs de Toulon : Le Castelet. Mais on n'y réalisa que les plans lointains. Tous les plans rapprochés ont été tournés en studio. C'est que Raimu n'aimait pas tourner en extérieurs. « *Le vent le gênait ! Un arbre vrai le gênait ! Et il était meilleur à 21 heures que dans la journée. C'est qu'il jouait au théâtre depuis trente ans. Aussi a-t-il fallu recopier en ciment les troncs de platanes qui se trouvaient près de la terrasse du café.* » Le résultat était remarquable. C'était l'œuvre de Marius Brouquier.

2. Marcel Pagnol discute avec Raimu une scène du *Boulanger*.

Entre eux Charles Moulin qui joue le berger du marquis.

3. Le marquis et le boulanger. Le marquis Castan de Venelle (Charpin), hobereau local et patron du berger, souhaite la bienvenue au nouveau boulanger.

4. L'entrée du berger. Charles Moulin (à gauche).

5. Le boulanger comprend son infortune. Il vient de recevoir, dans un paquet, une paire de cornes.

6. La scène d'ivresse. Le marquis (Charpin), le boulanger (Raimu) et le curé (Robert Vattier).

3

4

5

6

1

2

5

Le temps des rêves fous

Marcel Pagnol − par fidélité à ses origines − s'était installé à Marseille. La guerre, et surtout l'occupation, allaient faire de ses studios, le haut lieu du cinéma français replié. De 1940 à 1944, on ne le verra plus à Paris. Pas même pour les débuts officiels de Raimu à la Comédie-Française.

C'est l'époque de ses rêves les plus audacieux.

Il veut créer − au domaine de La Buzine qu'il vient d'acquérir − le Hollywood français.

Il veut reconstituer la préhistoire dans les collines de La Treille pour y réaliser *Premier Amour*, l'histoire de l'homme qui a osé le premier dire à la tribu où tout appartenait à tous : « *Je veux cette femme et je tuerai celui qui la touchera. Je vous laisse toutes les autres.* » C'est l'invention de l'amour. Il est vrai que Pagnol est lui-même très amoureux. Il se fait photographier en jeune premier. Josette Day a pris la première place dans son cœur et sur les affiches de ses films. Elle est *La Fille du Puisatier,* le seul de ses films où il ait réussi à réunir Raimu et Fernandel. Elle est l'héroïne de *La Prière aux Etoiles* que Pagnol ne terminera pas parce qu'il ne veut pas se soumettre à la censure. Avec Josette Day, Pagnol habite ses studios même. Ses comédiens s'y retrouvent tous les jours, Blavette, Poupon, Delmont. Avec eux, avec ses « Maréchaux », Charles Pons, Toë, Robert Jiordani, Rossi, et bien entendu son frère, le fidèle René, ce sont d'interminables parties de pétanque. Marcel Pagnol y est aussi adroit que Joseph, son père (1).

De temps en temps un éclat de voix fait résonner la cour. C'est Raimu, venu en voisin de Bandol. D'autres fois, c'est un éclat de rire. Fernandel, qui a repris son tour de chant, est de passage avec Andrex entre deux tournées de music-hall. Pagnol règne sur cet univers amical. C'est un conteur merveilleux. On l'écoute pendant des heures. Jusqu'au jour où − ça devait arriver − des Allemands viennent lui demander pourquoi il ne tourne pas pour eux. On lui accordera toutes les facilités. Et s'il refuse, ce sera mal interprété. Pagnol ne refuse pas, il vend ses studios. Il disparaît. Marcel Pagnol commence alors avec ses visiteurs trop corrects une partie de cache-cache qui ne cessera plus. Jusqu'à la Libération. Il la gagnera.

(1) Cf. Marcel Pagnol. *Le Temps des Amours.*

1

Marseille, capitale du cinéma français

1. Soirée de gala à Marseille en 1941. Marcel Pagnol et Josette Day, entourés de Charpin et de Charles Trenet, sont venus aux Variétés, dirigés par leur ami Franck, applaudir Fernandel qui fait son tour de chant. Dans la zone sud encore non occupée, si Lyon est devenu la métropole des affaires, Marseille reste la capitale du spectacle.

2 et 3. Les studios du Prado. Vue de la grande cour intérieure où on construit les décors, et de la porte d'entrée. Pour tourner les scènes d'extérieurs, Pagnol avait acheté quelques centaines d'hectares dans les collines de La Treille. Quand Pagnol ne tournait pas, Charles Pons louait les studios pour d'autres productions. Renoir a tourné ici *Toni*.

Pagnol racontait : « *C'est parce qu'un producteur qui m'avait retenu les studios s'est décommandé au dernier moment que j'ai écrit, à toute vitesse, La Femme du boulanger.* » Pagnol a habité un appartement dans les studios de 1940 à 1944.

4. *Monsieur Brotonneau* (1939). Marguerite Pierry, Josette Day et Raimu dans *Monsieur Brotonneau*, produit par Marcel Pagnol d'après une comédie de Robert de Flers et Caillavet : un honorable commerçant découvrant les joies et les agréments du ménage à trois. Pagnol en a écrit le scénario et les dialogues. La mise en scène est d'Alexandre Esway. Le film a été tourné au studio de Marseille. Il marque le début de l'idylle entre Marcel Pagnol et Josette Day.

2

3

4

1

Josette Day, La Fille du Puisatier

1. On.prépare *La Fille du Puisatier*.
De droite à gauche, Fernandel,
Raimu, Alexandre Esway, le metteur
en scène de *Monsieur Brotonneau*,
Josette Day assise et Marcel Pagnol.
C'est un des très rares documents où
se trouvent réunis l'auteur et ses
deux grands interprètes.

2. Patricia, la fille du puisatier, c'est
Josette Day. C'est une des plus belles
comédiennes de l'époque. Elle a déjà
joué *Club de Femmes, Messieurs les
Ronds de Cuir, Education de Prince.*
C'est elle que Jean Cocteau choisira
pour jouer la princesse dans son film
La Belle et la Bête avec Jean Marais.

3. Fernandel et Raimu. Affiche de
Dubout.

5. Les amoureux. La rencontre de
Patricia, la fille du puisatier, avec
Jacques, le bel aviateur de l'école de
Salon, le fils du grand bazar Mazel.
Le rôle de Jacques était joué par
Georges Grey qui mourut très jeune.

6. Le discours de l'Armistice. Chez
les Mazel tout s'est arrêté. On écoute
à la radio le maréchal Pétain annon-
çant qu'il vient de demander l'armistice. De gauche à droite : Raimu
Josette Day, Line Noro, Charpin
Blavette et Thommeray.

4. Le dîner chez les Amoretti
Josette Day, Raimu et Fernandel.

7. Le bébé. Amoretti grand-père et
petit-fils.

2

5

4

6

LA SOCIÉTÉ NOUVELLE DES FILMS MARCEL PAGNOL PRÉSENTE

RAIMU · FERNANDEL · JOSETTE DAY

la fille du puisatier

UN FILM DE *Marcel Pagnol* DE L'ACADÉMIE FRANÇAISE

3

7

Le Puisatier :
le grand
face-à-face
Jules-Fernand

Amoretti et Felipe. Dans leurs relations avec Marcel Pagnol comme dans leur carrière, il y avait toujours eu entre Raimu et Fernandel une vive émulation. Ils venaient, Raimu de Toulon, Fernandel de Marseille, villes rivales. Fernandel avait débuté au cinéma, dans un rôle très court, dans *Le Blanc et le Noir* d'après Sacha Guitry, film dont Raimu était la vedette. Raimu avait tourné avec Pagnol avant Fernandel. Tous deux avaient l'un pour l'autre, une très grande estime. « *Tout au long de ma carrière*, disait Fernandel, *Raimu a été comme une pierre dans mon soulier.* » Et Raimu savait que Fernandel réussissait à obtenir des contrats plus importants que les siens. Mettre face à face ces deux monstres sacrés

n'était pas une petite affaire. Ils avaient été réunis une fois déjà dans *Les Rois du Sport*. Et le résultat sur tous les plans avait été médiocre. Mais dans *La Fille du Puisatier* le miracle Pagnol devait jouer une fois de plus. Les prises de vues furent quelquefois orageuses : Pagnol dut compter un par un les gros plans de ses deux pensionnaires – Raimu Amoretti et Fernandel, Felipe – mais tous les deux ont atteint là les sommets de leur art. *La Fille du Puisatier* reçut du public un accueil délirant. On pouvait espérer que Pagnol tournerait encore d'autres films avec les deux plus grands acteurs de l'époque. Hélas, la mort prématurée de Raimu en 1946 ruina tous les beaux espoirs.

1

Ils inauguraient ce jour-là Hollywood-en-Provence

1. La partie de campagne. Ce n'est pas la partie de campagne de Jean Renoir. C'est celle de Marcel Pagnol. La photo a été prise devant la porte des studios de Marseille en 1941. Marcel Pagnol est à gauche au premier plan. Il parle avec Josette Day et le directeur des studios, Charles Pons. On a réquisitionné le camion à gazogène des studios. Toute l'équipe des films monte à La Buzine que Pagnol vient d'acheter pour y créer sa cité du cinéma. Il expliquait les raisons de son choix : « *L'air est ici d'une qualité particulière parce qu'il n'y a aucune espèce d'humidité, ce qui fait que les photographies que l'on y prend sont toujours extraordinaires, toujours très belles. Les couleurs n'y sont pas du tout dures, pas du tout italiennes. Ainsi les rochers ne* sont pas blancs, ils sont bleutés. Les verts ne sont pas éclatants non plus. C'est un paysage assez doux, mais aux formes rudes. Tous les critiques ont admiré les images de Regain, d'Angèle, du Puisatier. Ils ont écrit que j'avais un chef opérateur de génie. Ce n'était pas tout à fait exact. Mon chef opérateur et ami Willy remettait les choses au point : « Ici, disait-il, tous les opérateurs auraient du génie... » Oui c'était un endroit idéal pour mon projet.* »

2. La photo de famille. Marcel Pagnol est au centre. Josette Day est à sa droite. On reconnaît Pierre Blanchar. Au premier rang à droite, tenant son chien sur ses genoux, René Pagnol. A l'avant-dernier rang à droite, le dessinateur Toë, auteur

2

des caricatures de Raimu et de Pagnol, publiées dans cet album.

3. Josette Day devant le château. Le château de La Buzine, de style Louis XIII mêlé de romano-byzantin, avait été construit juste avant la guerre de 1870 par un entrepreneur marseillais, Hilaire Curtil. Mais c'était un de ses anciens propriétaires, Henry de Buzin, qui lui avait donné son nom. C'est là, selon Pagnol, qu'Edmond Rostand avait écrit *L'Aiglon.* Devant certaines difficultés qu'il rencontra auprès de l'Administration, Pagnol renonça à son fabuleux projet de cité du cinéma qui fut repris après la guerre à Rome par les Italiens : ce fut Cinecitta.

3

2

3

1

4

La Prière
aux Etoiles
restera inachevée

1. Pierre Blanchar et Josette Day. En 1941, Marcel Pagnol met un nouveau film en chantier, *La Prière aux Etoiles*. C'est une très belle histoire d'amour fou qu'il avait écrite pour Josette Day. L'action se déroule à la fois à Cassis et à Paris dans le parc d'attractions de Luna-Park que Pagnol connaît et aime bien. Son ami Volterra en était le patron. Comme partenaire de Josette et pour jouer le rôle d'un personnage où il a mis beaucoup de lui-même, Pagnol a fait appel à son ami de toujours, Pierre Blanchar. Hélas, écœuré à la fois par les tracasseries de la censure et par les difficultés rencontrées pour trouver du matériel et surtout une pelli-

cule convenable, Pagnol, alors que *La Prière aux Etoiles* était déjà très avancé, décide de tout arrêter. Le film ne sera jamais repris.

2. Pierre et Florence. Pierre Blanchar et Josette Day.

3. Mme Richard. Marguerite Moreno. Elle joue une voyante.

4. Pierre, Florence, Dominique et Albert. Pierre Blanchar, Josette Day, Jean Chevrier et Alerme.

5. *Arlette et l'Amour.* En 1942, Pagnol a vendu ses studios. En 1943, Josette Day tourne *Arlette et*

5

l'*Amour* de Robert Vernay avec
André Luguet. Marcel Pagnol est
invité par la Gaumont à « super-
viser » le film. Il ne resterait aucun souvenir de ce film s'il n'avait
précédé de quelques jours la rupture
avec Josette Day. Aucun, sauf un
merveilleux texte : *Le Sermon
rentré*, écrit entièrement par Marcel
Pagnol et que son ami le père Norbert Calmels a recueilli dans son
ouvrage *Les Sermons de Pagnol* (1).

**6. Le comte Raoul de Tremblay-
Matour et Arlette Milloix.** André
Luguet et Josette Day.

6

(1) Editions Robert Morel.

Photographie dédicacée à Henri Jeanson.

6

Les honneurs et le bonheur

Le 6 octobre 1945, Marcel Pagnol épouse Jacqueline Bouvier.

Le 4 avril 1946, il est élu à l'Académie française.

Le 20 septembre de la même année, une mort brutale vient lui enlever son ami et son interprète de toujours, Raimu.

Dans la vie de Marcel Pagnol, en ces premiers mois de l'après-guerre, les événements se précipitent. Et ça va continuer – tragédies et bonheurs – pendant trente ans. Il perd la petite Estelle, la fille chérie que lui a donnée Jacqueline. Il tourne le plus grand succès de sa carrière *La Manon des Sources*. Sa tentative pour lancer, avec Tino Rossi, un procédé français de cinéma en couleurs, reste sans lendemain. Il est reconnu comme leur prophète par les plus grands metteurs en scène italiens et par les jeunes chefs de file du nouveau cinéma. « *C'est Pagnol qui a inventé le néoréalisme* », proclament Rossellini et De Sica. « *C'est Pagnol qui a inventé le cinéma d'auteur* », répondent en écho Godard et Truffaut. Il rate à moitié son retour au théâtre avec *Judas*. Marseille lui fait l'honneur immense de donner son nom à un lycée. *Fabien* est un échec. Il a la joie de recevoir, sous la Coupole, son complice de toujours, Marcel Achard.

Le jour où tout le monde, et probablement lui-même, considère sa grande œuvre comme achevée, un nouveau miracle se produit. Il publie dans le magazine *Elle*, à la demande de ses amis Hélène Lazaref et Sam Cohen, le premier chapitre de ses *Souvenirs d'Enfance* qu'il a racontés toute sa vie dans les soirées entre amis et que – un peu par désœuvrement – il s'est décidé à écrire. C'est un feu d'artifice ! Une révélation ! Tous les critiques le proclament : un immense écrivain français vient de naître. Ceux qui avaient boudé son théâtre et ses films saluent en lui notre « Dickens ». « *Vos livres sont pleins de dictées* », lui écrit un vieil instituteur. Pas un livre de classe ne paraîtra désormais sans contenir – avec les deux fables de La Fontaine obligatoires – deux ou trois pages de Pagnol. Pagnol accueille cette manne, ces ovations, ces succès, avec le sourire que lui connaissent ses amis. La gloire, il en a la grande habitude. Et il est très doué pour le bonheur.

Le mariage avec Jacqueline Bouvier

1. Jacqueline Bouvier (1944) **a vingt ans** quand elle épouse Marcel Pagnol. C'est parmi la nouvelle génération de comédiennes l'une des plus jolies et des plus douées. Elle a été l'élève de Raymond Rouleau. Elle a débuté chez Agnès Capri, le célèbre cabaret d'avant-garde de Montparnasse, en jouant Alphonse Allais et Courteline et en récitant des petits poèmes qu'elle écrit elle-même. Elle a joué son grand premier rôle au théâtre Monceau dans *Jupiter* de Robert Boissy avec Michel Vitold. Au cinéma elle a tourné *Les Ailes Blanches*, *La Maison des Sept Jeunes Filles* et surtout *Adieu, Léonard* de Pierre Prévert dont la vedette est Charles Trenet. Après son mariage, Jacqueline Bouvier jouera encore au théâtre, à l'Atelier ou à Monte-Carlo, mais elle ne tournera plus, au cinéma, que les films de son mari.

2. Le dîner du mariage. Marcel Pagnol a épousé Jacqueline Bouvier le 6 octobre 1945 à Malakoff, ville de la banlieue sud. C'est là qu'habitaient les parents de Jacqueline Bouvier. Le menu du repas est moins intéressant par la liste des plats servis (on sortait tout juste de la période des restrictions) que par la qualité des convives qui y ont apposé leurs signatures. Tous les auteurs et compositeurs dramatiques importants d'après la guerre étaient là. Stève Passeur, Marcel Achard, Romains Coolus, l'auteur des *J.3* : Roger Ferdinand, celui des *Jours Heureux* : Claude-André Puget, Albert Willemetz, le parolier de *Phi-Phi* et de toutes les chansons de Maurice Chevalier. Les compositeurs Vincent Scotto et Maurice Yvain, auteur de *Mon Homme*, de *Là-haut* et de *Pas sur la bouche*. Xanrof, le célèbre auteur du *Fiacre*.

3. Lettre de Dubout, félicitant Pagnol pour son mariage.

4. Marcel et Jacqueline, dans les premiers mois de leur mariage au Moulin d'Ignières dans la Sarthe. C'était la propriété où Pagnol avait tourné son premier film *Le gendre de M. Poirier*.

1

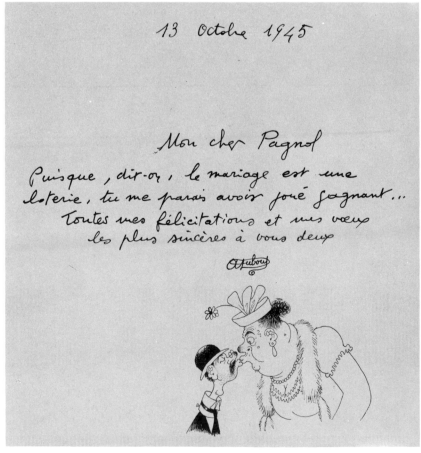

13 Octobre 1945

Mon cher Pagnol

Puisque, dit-on, le mariage est une loterie, tu me parais avoir joué gagnant... Toutes mes félicitations et mes vœux les plus sincères à vous deux

Dubout

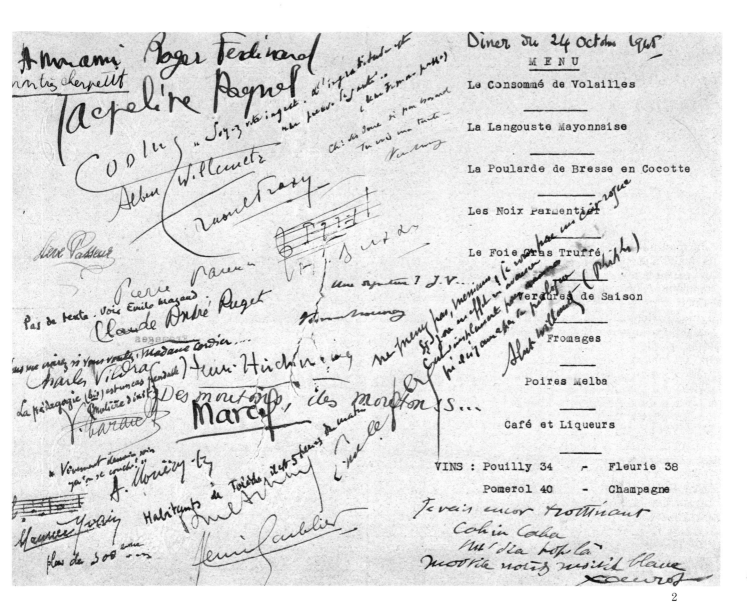

Diner du 24 Octobre 1945

MENU

Le Consommé de Volailles

La Langouste Mayonnaise

La Poularde de Bresse en Cocotte

Les Noix Parmentier

Le Foie Gras Truffé

Verdures de Saison

Fromages

Poires Melba

Café et Liqueurs

VINS : Pouilly 34 — Fleurie 38
Pomerol 40 — Champagne

Naïs d'après Zola avec Fernandel et Jacqueline Bouvier

1. Fernandel dans *Naïs*. Premier film de Marcel Pagnol après la Libération en 1946. *Naïs*, d'après la nouvelle d'Emile Zola, *Naïs Micoulin*. Marcel Pagnol en a transporté l'action dans le Midi, à l'Estaque, dans la banlieue de Marseille. Les extérieurs ont été tournés à Cassis. Le film avait été réalisé par Raymond Leboursier sous la supervision de Pagnol.

2. L'affiche du film, par Dubout.

3. Naïs - Jacqueline Bouvier. Elle répondait parfaitement à la description du personnage par Zola. « *Un vrai déjeuner de soleil.* ».

4. Toine, le bossu au grand cœur. C'est un personnage dans la ligne de Saturnin, le valet de ferme un peu simplet d'*Angèle*, ou de Felipe, l'aide du puisatier. Comme eux, il aime la jeune et jolie héroïne du film d'un amour fou et impossible. Comme eux, il se sacrifiera pour la sauver. C'est le cousin d'un des héros les plus fameux de la littérature française : Quasimodo, bossu comme lui.

5. Le père Micoulin et Toine. Henri Poupon et Fernandel.

6. Toine et Frédéric. Fernandel et Raymond Pellegrin qui débute ici dans la troupe de Pagnol. Marcel Pagnol l'avait découvert en 1940 à Monte-Carlo où il jouait au théâtre, *Topaze*. « *Je lui dois*, disait Pagnol, *la meilleure interprétation du personnage que j'aie jamais vue.* »

7. Mme Rostaing, Toine et l'ingénieur. Germaine Kerjean, Fernandel et Arius.

8. Naïs et Toine. Jacqueline Bouvier et Fernandel.

1

FERNANDEL

dans

NAÏS

2

3

4

5

6

7

8

Le premier académicien du cinéma

1. Marcel Pagnol académicien. Le 4 avril 1946, Marcel Pagnol est élu à l'Académie française au fauteuil de Maurice Donnay, poète, journaliste et comme lui auteur dramatique. Il est le premier académicien du cinéma français (il y aura plus tard René Clair) et le Cinéma français revendique l'honneur de lui offrir son épée. Ce qui est fait au cours d'une cérémonie aux studios de Joinville fin 1947. Hélas, depuis son élection, Raimu était mort et ce fut son autre grand ami Louis Jouvet, premier interprète de *Topaze* au cinéma qui prononça le discours.

2. Jacqueline et l'épée. Entre Marcel et Jacqueline Pagnol, André Luguet.

3. Marcel Pagnol pendant son discours. La réception de Pagnol sous la Coupole eut lieu le 27 mars 1947. Jérôme Tharaud, chargé de le recevoir, avait commencé son discours ainsi : « *Monsieur, je suis très heureux de vous accueillir parmi nous, d'abord parce que vous avez beaucoup de talent, ensuite parce que vous êtes un homme heureux...* » A la demande de Marcel Pagnol, la cérémonie avait été filmée, ce qui avait irrité beaucoup d'académiciens, dont Henry Bordeaux. Marcel Pagnol fut un académicien exemplaire, acceptant de bonne grâce toutes les corvées de la charge et même de prononcer, en 1956, un discours pour la distribution des prix de vertu, resté dans les annales.

4. Le pommeau de l'épée. L'orfèvre a ciselé sur le pommeau les masques de la comédie et de la tragédie, la pellicule cinématographique, sur la garde une pierre précieuse : une topaze, une croix de Malte, symbole du cinéma. La croix de Malte était dans les premiers appareils de prises de vues et de projection la pièce mécanique qui assurait le déroulement de la pellicule image par image.

5. Le carton d'invitation à la réception. La grande salle de l'Institut de France fut trop petite pour recevoir tous ceux qui avaient voulu assister à l'événement.

1

2

3

4

5

1

Les jours heureux de Monte-Carlo

1. Jacqueline Bouvier joue Shakespeare. Fuyant la sollicitude empressée des cinéastes allemands, Marcel Pagnol avait fini par s'installer à Monte-Carlo. L'amitié que lui portait le prince Rainier fit qu'il y resta. C'est à Monte-Carlo, pour le jubilé du prince, que Jacqueline Pagnol créa en 1947 la traduction française par Pagnol du *Songe d'une Nuit d'Eté* de Shakespeare. Elle joue Hermia. A ses côtés Robert Gaillard et Madeleine Sylvain. Pagnol écrit aussi une traduction de *Hamlet* qu'il publiera en 1947 et qui sera créée au Festival d'Angers en 1955 par Serge Reggiani et Dominique Blanchar.

2. Marcel Pagnol à Monte-Carlo lors de la cérémonie de couronnement du prince Rainier en 1949.

3. Pagnol et le prince Rainier. Monte-Carlo a joué un rôle important dans la vie et la carrière de Marcel Pagnol. C'est au Grand Théâtre de Monte-Carlo qu'avait été créée, en décembre 1926, sa pièce *Jazz* avec Orane Demazis. C'est à Monte-Carlo qu'il a découvert Raymond Pellegrin. C'est à Monte-Carlo, chez son ami Pastorelly, qu'il fera éditer ses *Souvenirs d'Enfance*.

4. La Lestra. C'était l'hôtel particulier des Pagnol à Monte-Carlo. La Lestra signifie « La Grotte » en monégasque. La maison avait été construite pour servir de résidence au baron de Bloedecher, le banquier chargé de faire rentrer la dette de la France après la guerre de 1870.

2

3

4

1

La Belle Meunière en famille et en Rouxcolor

1. Devant le moulin de La Colle (1948). Marcel Pagnol va tourner *La Belle Meunière*. Il va, à cette occasion, mettre à l'épreuve un nouveau procédé de cinéma en couleur, un procédé français, le Rouxcolor (du nom de ses inventeurs, les frères Roux) qui excite follement le passionné de recherches et de sciences qu'il n'a jamais cessé d'être.

2. Tino joue Franz Schubert dont Pagnol avait fait, sans se soucier le moins du monde de la vérité historique, le héros de son histoire.

3. Les frères Roux. Le soir de la première représentation, les inventeurs du Rouxcolor, les frères Roux, félicités par Jacques, le fils aîné de Marcel Pagnol. L'aventure du Roux-

color devait rester sans lendemain. Il fut de bon ton, après d'échec, de sourire du Rouxcolor. Ce fut, tout de même dans l'histoire du cinéma, le seul procédé français de cinéma en couleur mis à l'épreuve d'un grand film. Pagnol, encore une fois, s'était montré un pionnier.

4. La Belle Meunière et Franz. Jacqueline Bouvier et Tino Rossi.

5. Guillaume le meunier. Raoul Marco. Jacqueline Bouvier. Tino.

6. Au lavoir. Suzanne Després. Jacqueline Pagnol.

7. La favorite et sa cameriste. Lilia Vetti et Pierrette Rossi, la femme et la fille de Tino.

4

2

5

6

3

7

Raimu
n'est plus là
pour créer
César au théâtre

1. Le contrat de *César*. Au printemps 1935, quelques semaines après la sortie du film *César*, sur une table de la brasserie de Verdun, 23, rue Paradis à Marseille, Raimu et Pagnol avaient signé un contrat par lequel Raimu s'engageait à jouer au théâtre la pièce tirée du film *César* que Pagnol s'engageait à écrire. C'est Corbessas, directeur commercial des Films Pagnol, qui en avait calligraphié le texte.

2. La mort de Raimu. En septembre 1946, la mort brutale de Raimu enlève à Pagnol non seulement son ami (« *Il était à la fois mon père, mon frère et mon fils* ») mais son interprète favori. Pendant des années, le gros plan de Raimu extrait du film *César* resta accroché au-dessus de la table de travail de Pagnol.

3. *César* aux Variétés. *César* fut créé au théâtre en décembre 1946, aux Variétés, où avait été créé *Topaze*. De gauche à droite : Arius, Rivers Cadet, Amato, Maupi, Dupuy et Vilbert.

4. L'affiche de *César*. Orane Demazis, Milly Mathis et Maupi sont les seuls interprètes de la pièce qui avaient fait partie de la distribution du film. Raymond Pellegrin jouait Césariot. Le rôle de Marius avait été repris par le chanteur Alibert, le créateur de toutes les opérettes marseillaises composées par Vincent Scotto, son beau-père. Il était aussi le directeur du théâtre des Variétés. On y voit aussi Mme Chabert qui avait créé Honorine dans *Fanny*. La pièce ne fut qu'un demi-succès.

5. Césariot, Tante Claudine, César. Raymond Pellegrin, Milly Mathis, Henri Vilbert.

6. Marius et Fanny. Alibert et Orane Demazis.

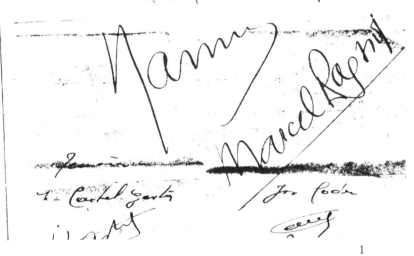

1

2

3

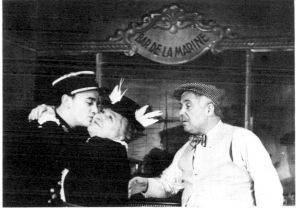

5

6

1

2

3

Pagnol refait le Rosier et retourne Topaze

1. Les Pagnol et les Bourvil. En 1950, séduit par le grand talent comique de Bourvil, Pagnol accepte d'écrire pour lui une version nouvelle du *Rosier de Madame Husson*, le célèbre conte de Guy de Maupassant, dont la première version tournée en 1932 par Bernard Deschamps avait lancé Fernandel. Entre le Normand Bourvil et le Provençal Pagnol, ce fut le début d'une amitié que seule devait interrompre la mort du célèbre comédien. De gauche à droite, Marcel, le petit Frédéric et Jacqueline Pagnol, André Bourvil, son fils et sa femme.

2. *Le Rosier de Madame Husson :* Pauline Carton et Bourvil.

3. Jacqueline Pagnol dans *Le Rosier de Madame Husson.*

4. Fernandel reprend *Topaze.* En 1950, Marcel Pagnol qui n'a jamais été satisfait des deux premières versions filmées de *Topaze* (avec Jouvet et avec Arnaudy) propose à Fernandel de reprendre le rôle du célèbre pion. Larquey y joua le rôle de Tamise qu'il avait créé aux Variétés vingt-deux ans plus tôt.

6

7

8

9

5. Première à Monte-Carlo. De gauche à droite : Fernandel, Pagnol et le prince Pierre de Monaco.

6. La classe de Topaze.

7. Tamise et Topaze. Larquey et Fernandel.

8. Topaze et Ernest Muche. Fernandel et Jacqueline Pagnol.

9. Topaze et Suzy. Fernandel et Hélène Perdrière.

La Manon
des Sources :
le mythe de l'eau

1. Rellys dans _Manon des Sources._
Marcel Pagnol tourne _Manon des Sources_ en 1952. Il en a confié le premier rôle masculin à Rellys qui joue Ugolin, un paysan un peu simple, un peu sauvage, âpre au gain, solitaire, torturé. Il finira par se pendre. Dans la description du personnage, Pagnol précise : « _Il cligne des yeux surtout lorsqu'il est ému_ », ce qui laisse à penser qu'il a, dès le début, voulu confier ce rôle à Rellys. En vérité, Pagnol avait écrit le rôle pour Fernandel. Rellys y fut sublime. Sa déclaration d'amour à Manon, hurlée à tous les vents du haut de la montagne, est un des sommets de l'œuvre de Pagnol et du cinéma mondial. Rellys lui devra de rester dans les cinémathèques. Rellys avait déjà été le concierge dans _Merlusse._ Il sera le père Gaucher dans les _Lettres de mon Moulin._

2. Marcel Pagnol tourne dans les Collines. Pour _Manon des Sources,_ Pagnol est revenu sur les lieux mêmes où il avait commencé — avec _Jofroy_ — son œuvre cinématographique provençale. Le succès fantastique de ses livres, _La Gloire de mon Père, Le Château de ma Mère_ publiés plus tard, en 1958, a rendu familiers les vallons, les rochers, les sentiers, les abrupts autour de La Treille : Saint-Esprit, Taoumé, Passe-Temps, mais c'est dans _Manon des Sources_ qu'on entend ces noms pour la première fois. Et on peut se demander si ce n'est pas en tournant _Manon_ que Marcel Pagnol a revécu soudain les vacances enchantées de son enfance, qu'il a retrouvé au détour d'un vallon le petit garçon qu'il était un demi-siècle plus tôt, courant les garrigues avec le Lily, le petit Paul puis avec Yves Bourdé. N'est-ce pas ce jour-là qu'il a décidé d'écrire ses souvenirs ? Ce qui est sûr, c'est que le succès de ses livres, et son expérience réussie du métier « d'écrivain en prose », lui fera opter définitivement pour ce moyen d'expression. Inversant le processus ordinaire, du film _Manon des Sources,_ il tirera les deux livres de _L'Eau des Collines : Jean des Florettes_ et _Manon des Sources._

1

La Manon : Jacqueline et les grands anciens

1. Jacqueline et la maison Pagnol.
Dans *La Manon*, Marcel Pagnol a réuni autour de Jacqueline tous les comédiens qui l'ont suivi tout au long de sa carrière. Ce phénomène d'une troupe retrouvée d'un film à l'autre, où d'un film à l'autre on voit les acteurs vieillir, changer d'emploi, on n'en connaît au cinéma qu'un autre exemple : c'est à Hollywood la troupe du grand John Ford. Dans la scène du jugement, on découvre de l'assistance Robert Vattier (M. Belloiseau), l'éternel M. Brun de la Tri-

logie, le curé de *La Femme du Boulanger*, Blavette (Pamphile) qui jouait Antoine dans *Jofroi*, le rémouleur dans *Regain*, Martelette dans *Le Schpountz*, Antonin dans *La Femme du Boulanger*, etc.

2. L'instituteur, Manon et le Papet.
Le Papet, c'est Henri Poupon. Il a été Clarius Barbaroux, le père d'Angèle, Fonse dans *Jofroi*, Merlusse, Cigalon, Galubert dans *Le Schpountz*, Lamoureux dans *Regain*, le père Micoulin dans *Naïs*.

1

2

3

4

5

3. **Jacqueline - Manon.** Dans le générique de *Manon des Sources*, Jacqueline Bouvier est devenue Jacqueline Pagnol.

4. **Henri Vilbert - Le curé.** Il a créé *Marius, Fanny* et *César*.

5. **Edouard Delmont et Daxely.** Edouard Delmont a été le père Gaubert de *Regain*, Maillefer de *La Femme du Boulanger*, le docteur de *César*, etc. Daxely jouera le centurion dans *Judas*.

1

Son dernier film : les Lettres de mon Moulin

1. Chez les Pères Prémontrés, dans la cour intérieure de l'abbaye de Saint-Michel-de-Frigolet en Provence, Marcel Pagnol porte au cinéma en 1954 *Les Lettres de mon Moulin* d'Alphonse Daudet. Le film, en vérité, ne comportera que trois épisodes : *Les Trois Messes Basses* avec Vilbert et Daxely, *Le Secret de Maître Cornille* avec Delmont et Pierrette Bruno et *L'Elixir du Père Gaucher* avec Rellys et Robert Vattier. Pagnol tournera plus tard, pour la télévision, avec Henri Vilbert, *Le Curé de Cucugnan. Les Lettres de mon Moulin* sera le dernier film tourné par Marcel Pagnol.

2. Le moulin de Daudet avait été rebâti par Marius Brouquier.

3. Alphonse Daudet chez le notaire. Le rôle de Daudet est joué par Roger Crouzet, celui du notaire par Henri Crémieux. Le prologue où l'on voyait Alphonse Daudet acheter le moulin a été coupé.

4. *Le Secret de Maître Cornille* est interprété par Edouard Delmont et Pierrette Bruno (Vivette). Pierrette Bruno avait joué *Fanny* avec un immense succès au théâtre Sarah-Bernhardt, en 1952.

5. *L'Elixir du Père Gaucher.* Le père Virgile (Jean Toscane) et le père Gaucher (Rellys).

6. *Les Trois Messes Basses.* Toine Garrigou, le diable (Marcel Daxely et Henri Vilbert (Dom Balaguère).

2

3

4

5

6

Le retour
à la scène :
les malheurs
de Judas

1. L'affiche de *Judas*. *Judas*, pièce en cinq actes de Marcel Pagnol, fut créée sur la même scène que *Marius* et *Fanny*, au théâtre de Paris, le 6 octobre 1955. C'était une œuvre à laquelle son auteur tenait beaucoup. Il l'avait écrite sur le thème « *C'est à cause de la précision des prophéties, confirmées par les paroles mêmes de Jésus, qui a plusieurs fois annoncé sa mort prochaine et nécessaire que Judas a cru à sa propre détermination et qu'il a livré son maître.* » La distribution en était brillante. Raymond Pellegrin était Judas, Jean Servais : Phocas le Grec, conseiller de Ponce-Pilate. Comme pour respecter la tradition, Pagnol avait confié le rôle très important du centurion à Marcel Daxely, pensionnaire ordinaire de l'Alcazar de Marseille et des music-halls du Midi.

2. Première lecture. Marcel Pagnol avait travaillé très longtemps à son *Judas*. Dès 1953, il avait organisé une première lecture dans sa villa « La Lestra » à Monte-Carlo — avec des comédiens de la Principauté.

3. *Judas* au cours Simon. Pour juger de la rigueur dramatique de sa pièce, Pagnol avait autorisé son ami de toujours René Simon, à monter *Judas* avec les élèves de son cours — le plus célèbre de Paris. Marcel Bozuffi jouait le personnage du centurion.

4. Les répétitions au théâtre de Paris. Marcel Pagnol avec Micheline Meritz, Raymond Pellegrin (qui a commencé à se laisser pousser la barbe de Judas) et Jean Chevrier. Mis à l'index par les autorités ecclésiastiques, déconseillé par le grand rabbin, *Judas* ne fut qu'un demi-succès. Cependant une série d'accidents mystérieux devait précipiter la fin de sa carrière. Marcel Pagnol, sans le dire, fut toujours persuadé que sa pièce avait été condamnée par la volonté divine.

1

3

4

*Il dit adieu
au théâtre.
Il choisit
d'être conteur.*

1. **L'affiche de *Fabien*.** *Fabien* a été créé le 28 septembre 1956 au théâtre des Bouffes-Parisiens, sous la direction d'Albert Willemetz. *Fabien* met en scène une histoire d'amour, l'amour fou et aveugle d'une femme un peu monstrueuse (elle pèse 180 livres — 180 livres de bonté et de naïveté) pour son mari, un photographe de fête foraine assez voyou. Marcel Pagnol avait écrit *Fabien* pour Milly Mathis. Le personnage d'ailleurs s'appelle Milly. Dans *Fabien*, débute dans le rôle épisodique du médecin celui qui deviendra une très grande vedette comique : Jean Lefèvre.

2. **Milly Mathis et Marcel Pagnol.** « *C'était une nature, un tempérament*, écrit d'elle Marcel Pagnol, *ce que l'on appelle une bête de théâtre.* »

3. **Philippe Nicaud et Odile Rodin.** Fabien et Marinette.

4. **Marcel Pagnol conteur.** Pagnol, après *Fabien*, va renoncer au théâtre. Il commence, un peu par hasard, une nouvelle carrière. Il devient écrivain. Il va raconter ses *Souvenirs d'Enfance*. Et le succès de ces ouvrages sera considérable. Ce sera son apothéose.

7

Les secrets et les passions

Qui était vraiment Marcel Pagnol ?

Un « *optimiste angoissé* » écrit Jean-Jacques Gautier.

Un « *homme d'une grande sagesse* » affirme Jean Renoir.

« *Le plus grand menteur que j'ai connu* », disait, avec toute l'affection qu'il lui portait, Marcel Achard.

« *Un veinard fabuleux* » selon Fernandel.

« *Un redoutable homme d'affaires* », « *Un génie* », « *Léonard de Vinci* », « *Monsieur Jourdain* » ?

La personnalité de Pagnol était si riche, si diverse, les fées avaient été si nombreuses, à Aubagne le jour de sa naissance, à se pencher sur son berceau, il pouvait apparaître sous tellement de facettes différentes – et toutes brillantes – qu'il reste bien difficile à cerner. On trouvera dans ce chapitre des photographies qui nous le montrent sous plusieurs aspects inattendus, sportif, bricoleur, travailleur acharné. Ces images ne disent pas tout.

Il reste un mystère Pagnol. Tous ses familiers savaient que sa verve intarissable, sa faconde, son exubérance, étaient la façon qu'il avait trouvée de cacher son secret profond et probablement sa solitude. Il ne nous reste – pour tenter de le définir avec plus de précision – que quelques éléments : son épitaphe qu'il avait rédigée lui-même, en latin : « *Fontes, Amicos Uxorem dilexit* » (il a aimé les sources, ses amis et sa femme). On l'a illustré dans les pages qui suivent. Il y a tout de même un point sur lequel on peut être formel. Il a aimé la vie. Toute sa vie. Avec passion. En 1964, pour la revue *Livres de France*, il avait accepté de se soumettre au célèbre questionnaire de Proust. Beaucoup de ses réponses sont éloquentes. A la question « *Que voudriez-vous être ?* », il répond : « *Jeune* ».

« *Le don de la nature que vous voudriez avoir ?* » « *La jeunesse.* »

Il a enfin cette formule qui résume tout. Quand on lui demande « *Qui aimeriez-vous être ?* », il répond : « *N'importe qui en l'an 2000.* »

1

2

3

Tous les matins devant sa table de travail

1. Marcel Pagnol à sa table de travail. A La Lestra, son hôtel particulier de Monaco. Toute sa vie, où qu'il se trouve, chez lui ou en vacances, à l'hôtel, chez des amis, dans les fermes où il campait pendant les extérieurs de ses films, aux studios, Marcel Pagnol, levé aux aurores, a commencé sa journée assis à sa table de travail, écrivant. Il se laissait prendre, surtout dans ses dernières années, par sa passion pour les mathématiques. Les nombres premiers. Le théorème de Fermat. Enfin, quand son imagination ne trouvait pour son esprit aucune occupation, il récrivait ce qu'il avait écrit. Perfectionniste quasi maladif, il a récrit *Judas* après les représentations au Théâtre de Paris. Il a récrit *Les Marchands de Gloire* trente ans après leur création. Son *Secret du Masque de Fer* était à peine paru en librairie qu'il le refaisait, le corrigeait, l'enrichissait de preuves nouvelles et une deuxième édition était publiée quelques mois plus tard. Mieux. Toute sa vie, il a récrit *Marius* dont il n'était pas tout à fait satisfait (1).

2. Pendant les prises de vues de *Manon des Sources*. Il apporte des modifications de dernière heure aux dialogues du film.

4

. **Dans son domaine au-dessus de**
agnes.

. **Sa plume ronde.** Sa calligraphie
uperbe, Marcel Pagnol la devait à
usage qu'il a fait toute sa vie de
orte-plume d'écolier et de plumes
ites « rondes ». C'était dans les
nnées 1900, la plume des compta-
les.

. **Dans son hôtel particulier de**
avenue **Foch.** Il s'était installé, au
ortir de sa chambre à coucher, le
etit bureau où il a écrit jusqu'au
our où la maladie l'a cloué au lit.

) Voir page 153 la lettre de Marcel Achard.

5

La pétanque n'était pas son seul sport

1. Marcel Pagnol joue à la pétanque en 1942, dans la cour des studios de Marseille où il s'était installé. La pétanque était alors un sport qu'on ne pratiquait que dans les régions méditerranéennes. On sait qu'elle tire son nom du provençal : « pétanque » signifie « pieds joints ». A la pétanque, on doit garder les deux pieds l'un contre l'autre (dans un rond) au moment où on lance sa boule. Le jeu de boules a joué un rôle important dans la vie et dans l'œuvre de Pagnol. Il a raconté (1) comment son père Joseph avait gagné le concours de boules de La Treille, exploit dont Marcel avait conçu autant de fierté que du fameux doublé de bartavelles. Et l'on peut dire que lorsque l'équipe de Pagnol tournait, les journées se terminaient inévitablement par une partie de pétanque.

2. A la machine à ramer (1942). C'était dans les années d'avant-guerre l'appareil indispensable dans les salles de culture physique. Pagnol appartenait à la génération qui avait découvert le sport. Lorsqu'il était demi-pensionnaire au lycée Saint-Charles à Marseille, Pagnol allait tous les jeudis matin dans une salle de boxe, contiguë à l'académie de billard du Palais de Cristal sur la Canebière. Un jour, il y affronta un adversaire trop fort pour lui, adversaire qui, d'un uppercut, donna à son nez sa forme définitive. Professeur à Condorcet, Pagnol allait très souvent assister aux grands matches de boxe avec son élève Jean Rigaux, le futur chansonnier dont le père, chanteur à l'Opéra, les faisait bénéficier de billets de faveur. C'était l'époque glorieuse de Georges Carpentier.

3. Au tennis (dans les années 30). Pagnol avait aussi joué au football, mais Stève Passeur avait renoncé à l'emmener avec lui au rugby. En 1972, Fernandel, supporter fanatique des Marseillais, avait entraîné Pagnol à la finale de la Coupe de France gagnée par l'Olympique de Marseille.

4. La partie de pétanque d'*Angèle*. De gauche à droite : Andrex, Jean Manse, Fernandel et Pagnol.

(1) Cf. Marcel Pagnol : *Le Temps des Amours.*

1

2

3

4

1

2

La passion de la mécanique et du travail manuel

1. Marcel Pagnol à la perceuse. Marcel Pagnol se flattait d'être à la fois un intellectuel et un manuel. « *Quand j'étais enfant*, disait-il, *le plus beau mot de la langue française pour moi était non pas chocolat mais manivelle.* » Il était très adroit de ses mains et il utilisait dans ses travaux manuels les connaissances très étendues qu'il avait acquises dans tous les domaines scientifiques, les mathématiques, la physique, la chimie, l'électricité. La mécanique surtout le passionnait. Et c'est probablement cet ensemble de qualités qui lui firent porter tout de suite l'intérêt que l'on sait au « cinéma parlant » qui venait de naître, puis plus tard au « Rouxcolor ». Pagnol avait, dans les années trente, dessiné un modèle de voiture automobile, « La Topazette »,

basée sur le principe du chiffre trois. Trois places, trois portes, trois roues, trois chevaux et trois litres aux cent kilomètres.

2 et 3. Marcel Pagnol au Domaine. Il installe lui-même une sonde dans son domaine de Cagnes pour essayer d'atteindre une nappe d'eau souterraine. On sait que la recherche des sources a toujours été une de ses obsessions.

4. Avec Frédéric dans leur atelier. Pagnol était très heureux de voir son fils Frédéric partager sa passion pour les travaux manuels et pour la mécanique. Frédéric Pagnol, aujourd'hui installé dans le Midi, est ingénieur électronicien.

3

4

Les sources :
sur les pas
de Virgile

1. Pagnol sourcier.

2. Lettre de Jean Paulhan. Jean Paulhan, de l'Académie française et directeur de la N.R.F., était le grand prêtre des lettres françaises. Quand Pagnol eut terminé la traduction des *Bucoliques*, en 1958, il l'envoya aussi à Pierre Brisson, directeur du *Figaro*, en lui disant qu'il souhaitait en voir paraître deux églogues dans le *Figaro Littéraire* (ce qui fut fait). Pagnol expliquait dans la lettre qui accompagnait son envoi, les raisons pour lesquelles il souhaitait cette parution : « *Comme j'ai fait beaucoup de cinéma*, écrivait-il, *il y en a qui croient que je n'ai pas mon certificat d'études.* »

3. Avec son frère Paul, le chevrier. Paul Pagnol, le frère cadet de Marcel Pagnol, le « petit Paul » dont il parle si souvent dans ses *Souvenirs d'Enfance*, avait dû, pour des raisons de santé, renoncer à poursuivre des études classiques et, après être passé par une école d'agriculture « *avait choisi la vie pastorale* ». Il était devenu chevrier dans les collines de La Treille. C'est à lui que Pagnol a dédié sa traduction des *Bucoliques* de Virgile. La préface de cet ouvrage lui est consacrée. « *Il était très grand avec un collier de barbe dorée et des yeux bleus dans un beau sourire.* » Paul porte ici « *la grande houlette en bois de cade, formosum paribus nodis atque aere* ». Et comme Ménalque, le berger de l'*Eglogue V*, « *l'expert aux légers chalumeaux* », il jouait de l'harmonica « *qui n'est rien d'autre qu'une flûte de Pan perfectionnée* ». « *Il me nommait les plantes, les sources, les étoiles.* » C'est peut-être à son frère Paul autant qu'à Lily des Bellons que Marcel Pagnol devait sa connaissance remarquable de la faune et de la flore des collines de La Treille.

4. A la recherche de sources. Dans la grotte de la Baume Sourde, aux environs de La Treille, Marcel Pagnol, persuadé qu'il y avait, dans les sous-sols, un lac souterrain, a fait venir deux prêtres sourciers.

1

2

3

4

1

Le père de famille

1. Le baptême d'Estelle (juin 1952). Marcel et Jacqueline eurent deux enfants. Frédéric et la petite Estelle, terrassée à l'âge de deux ans par une crise d'acétonite foudroyante. Le baptême d'Estelle avait été célébré à La Lestra, le bel hôtel particulier des Pagnol à Monte-Carlo. De gauche à droite : au premier plan, le petit Frédéric, Marcel Pagnol, la petite Estelle dans les bras de son parrain Roger Ferdinand, l'auteur heureux des *J.3.*, alors président de la Société des Auteurs, Vincent Scotto, la marraine Mme Martinetti, sœur de Jacqueline Pagnol, Stève Passeur et Jacqueline Pagnol.

2. Pagnol en famille (1954). Pendant les prises de vues des *Lettres de mon Moulin* aux environs de La Treille. Marcel Pagnol, Jacqueline Pagnol, Jacques Pagnol, fils de Marcel, et Frédéric.

3. Pagnol, le père de la mariée. Il marie sa fille Francine avec Pierre Stierlin le 22 mars 1958 à Saint-Honoré-d'Eylau, à Paris. Pagnol avait un autre enfant, Jean-Pierre, le fils d'Orane Demazis.

4. Avec son petit-fils Louis-Laurent, fils de Frédéric, le jour de son baptême.

2

3

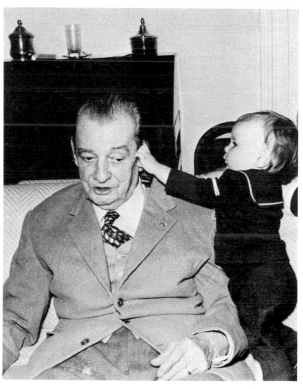

4

1

Les amis : Yves, Tino, Rossellini, Georges

1. Avec Yves Bourde (en 1929). Yves Bourde est le second à partir de la gauche. Yves Bourde et Pagnol avaient été ensemble au lycée et dans les collines. Ils avaient fondé ensemble *Fortunio*. Par la suite, Yves Bourde fit une brillante carrière de professeur à la faculté de médecine de Marseille. Au centre de la photographie Kitty Murphy, avec qui Marcel Pagnol eut son fils Jacques.

2. Avec Tino Rossi. Une amitié qui a duré quarante ans. Marcel Pagnol à qui une gitane avait dit un jour qu'il mourrait noyé, s'était juré de ne plus jamais monter sur un bateau. Un jour, il accepta l'invitation de Tino de venir passer ses vacances en Corse. En arrivant au port, Pagnol dit à

Tino : « *Faut-il que je t'aime. J'ai risqué ma vie pour toi.* »

3. Avec Rossellini. Rossellini était comme Pagnol un conteur merveilleux, plein de drôlerie, de tendresse. On pouvait l'écouter pendant des heures. Rossellini avait bouleversé Pagnol le jour où, au faîte de sa gloire, il lui avait dit : « *Le père du néo-réalisme au cinéma, ce n'est pas moi, c'est toi. Si je n'avais pas vu* La Fille du Puisatier, *je n'aurais jamais tourné* Rome ville ouverte. » A gauche, Ingrid Bergman. Elle était alors mariée à Rossellini.

4. Avec Simenon. Cinquante ans d'amitié liaient Pagnol et Simenon. Ils avaient vécu ensemble les jours difficiles des débuts parisiens.

2

3

4

Les amis : Dubout, Vincent, Orson, Renoir

1

1. Avec Albert Dubout. Albert Dubout, né à Marseille, merveilleux dessinateur, illustrateur de génie, était dans les années trente le premier dessinateur humoriste français. Il abandonna la presse pour se consacrer à l'illustration d'ouvrages de bibliophilie : *Rabelais, Villon, Sade.* « *C'est notre Dürer* », disait de lui Pagnol. Il a dessiné les affiches de tous les films de Pagnol et il a illustré les éditions de luxe de toutes ses œuvres.

2. Avec Vincent Scotto. Scotto a été avant l'ère Trenet, le plus grand compositeur français de chansons populaires. Il en a écrit plus de quatre mille, dont *La Tonkinoise, Sous les Ponts de Paris, J'ai deux amours, Vieni, Vieni*, etc. Il est l'auteur de toutes les opérettes marseillaises créées par Alibert. Il composa, pour Pagnol, la musique de *Fanny*, de *Jofroi*, d'*Angèle*, de *Merlusse*, de *Cigalon*, de *César*, du *Boulanger*, du *Puisatier* et de *Naïs*. On sait qu'il fut l'interprète de *Jofroi*.

2

3. Avec Orson Welles. Orson Welles venu en France pour la première fois en 1946 rencontra Pagnol et ne le lâcha plus. Orson Welles qui venait de tourner *Citizen Kane* était l'idole universelle des passionnés de cinéma. Dans les milieux de la critique, la déclaration d'Orson Welles : « *La Femme du Boulanger est le plus beau film que j'aie vu* », fit l'effet d'une bombe.

4. Avec Jean Renoir. Une partie de pétanque chez Blavette en 1934. Pagnol vient de tourner *Angèle* et Renoir est venu de Marseille préparer *Toni*, qu'il va tourner dans les studios Pagnol avec l'équipe de Pagnol et avec les comédiens de Pagnol. Blavette sera Toni. Le personnage qui pointe est le comédien Julien Maffre. En 1937 — alors qu'il venait de tourner lui-même son chef-d'œuvre *La Grande Illusion*, Jean Renoir déclarait au magazine de cinéma *Pour Vous* : « *Je tiens Marcel Pagnol pour le plus grand auteur cinématographique d'aujourd'hui.* »

3

Les amis : Giono, Henri, Norbert Calmels

1. Avec Jean Giono (en 1954). Jean Giono était venu rendre visite à Pagnol à Ganagobie où il tournait la séquence *L'Elixir du Père Gaucher* des *Lettres de mon Moulin*. L'amitié entre les deux écrivains remontait à 1933, à *Jofroi* que Pagnol avait tourné d'après un texte de Giono extrait de *La Solitude de Pitié*. Elle avait connu quelques éclipses. Giono avait proclamé son désaccord sur « *certain traitement que le cinéma* (donc, Pagnol), *avait fait subir à son œuvre* ». Un procès les avait opposés. La réconciliation s'ensuivit. Pagnol avait voulu faire entrer Giono à l'Académie française mais, au dernier moment, Giono se présenta à l'Académie Goncourt où il fut élu. Pagnol qui considérait Giono comme le plus grand écrivain français contemporain regretta beaucoup ce choix.

2. Inaugurant le buste de Scotto (1954). Marcel Pagnol inaugure à Marseille, avec le maire de la ville Gaston Defferre (à sa gauche) et Tino Rossi, le monument à Vincent Scotto, monument élevé sur le quai de Rive-Neuve où était né le grand compositeur populaire. Aujourd'hui, le quai Marcel-Pagnol se trouve tout près, sur le côté gauche du Vieux Port quand on regarde le large.

3. Avec Henri Jeanson. Le grand polémiste, le grand dialoguiste des années 30, l'enfant terrible du journalisme et de la critique parisienne, un des premiers amis de Marcel Pagnol à son arrivée à Paris. Henri Jeanson trouvait que Pagnol avait eu tort de se présenter à l'Académie française, « *cette vieille dame qui fait le trottoir quai Conti* ». A la réception donnée par Pagnol après la cérémonie, Henri Jeanson vint quand même. Il bouda toute la soirée. C'est Pagnol qui lui envoya cette photo légendée.

4. Avec le père Calmels. Monseigneur Norbert Calmels, abbé général des Prémontrés, auteur d'un recueil où il a réuni tous les « sermons » prononcés dans les films Pagnol, fut un de ses derniers amis et son confesseur.

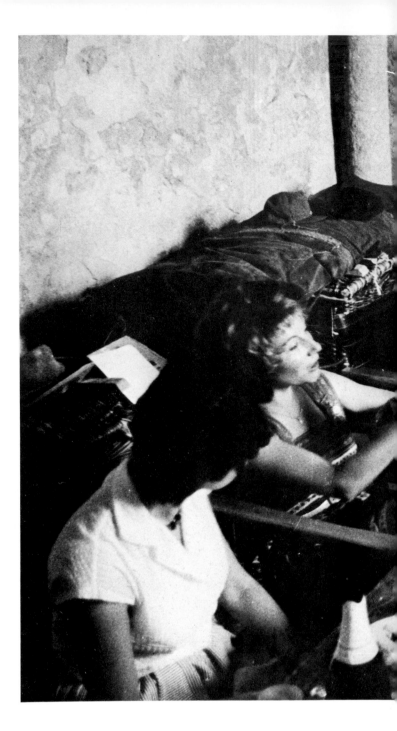

2

1

que tu es beau
Marcel

3

4

1

Avec Marcel Achard, cinquante ans de complicité

1. Avec les Achard. Marcel Pagnol, Juliette Achard, Marcel Achard, Jacqueline Pagnol. L'amitié entre les deux Marcel était née dès les premiers mois de leur séjour à Paris. A la générale de *Jazz*, de *Topaze*, de *Marius*, Marcel Achard était là, le premier à rire, le premier à applaudir, le premier à acclamer.

2. La réception de Marcel Achard sous la Coupole fut l'une des grandes joies que l'académicien français procura à Marcel Pagnol. Il avait été le grand électeur de son ami. C'est lui qui fut chargé de le recevoir. Séance mémorable. « *Je vous ai vu,* disait Pagnol à Achard, à qui il disait vous pour la première fois, mais les circonstances le lui imposaient, *la face enfarinée, soulevée de grands*

éclats de rire en recevant, monsieur, des coups de pied... Et des coups de pied où ? » Pagnol qui avait placé cette question au bas du premier feuillet de son discours, prit un temps pour lire le second : « *Au théâtre de l'Atelier.* » Jean-Jacques Gautier raconte : « *L'éclat de rire qui secoua la Compagnie dut traverser la Seine.* »

3. Lettre de Marcel Achard. Les deux amis qui se voyaient fréquemment s'écrivaient bien sûr, très peu. Marcel Pagnol, perfectionniste quasi maniaque, a passé sa vie à réécrire ses pièces — même *Marius*. Il avait demandé à Marcel Achard de lire sa dernière nouvelle version et de lui dire ce qu'il en pensait. C'est le sujet de cette lettre de Marcel Achard.

2

Mon Marcel chéri,

J'ai bien peur que malgré ta subtilité phocéenne et ton ingéniosité digne d'Ulysse, tu ne m'aies demandé des conseils que pour ne pas les suivre.

Je me trouverais "grossier" d'insister

C'est pourquoi je ne te répéterai pas qu'en s'excusant, Panisse nous emmerde, qu'il se prend pour un héros et qu'il n'est guère pitoyable. En faisant son apologie il cesse d'être touchant. Et qu'il est bien plus beau que ce soient les autres qui le défendent.

Je ne vois pas en quoi la mort de Jules change quelque chose à cela.

Et lorsque tu fais mirer par César les cornes de Panisse, tu tires sur ton personnage.

Comme tu le vois, je n'insiste pas. Mais puisque nous aurons l'occasion de nous revoir à Monaco et à Cannes je me fais fort de t'ébranler sur tes roseaux et dans tes convictions.

Embrasse la belle Jacqueline.

Je t'aime !

Marcel

153

3

1

Fidèle à son équipe comme à ses comédiens

1. Marcel Pagnol et son équipe technique. Marcel Pagnol a tourné presque tous ses films avec les mêmes collaborateurs devenus des amis. On retrouve ici les plus anciens, « les maréchaux », Antoine Rossi (assis devant Pagnol), travaillait avec lui depuis 1935, Charley Pons (debout à droite), directeur des studios depuis 1937, « il sait tout faire » disait Pagnol. A la gauche de Pagnol, Jo Martinetti, son beau-frère. Devant Martinetti, Jacques Pagnol, son fils. Derrière Martinetti, le fidèle Robert Giordani, décorateur de l'équipe depuis 1941 *(La Prière aux Etoiles)*. Le bras sur la caméra, c'est Willy Factorovitch, chef opérateur de Pagnol de *Jofroi* aux *Lettres de mon Moulin* que son fils Gricha (derrière la caméra) avait rejoint comme

assistant. (Photographie prise pendant le tournage des *Lettres de mon Moulin* à l'abbaye de Saint-Michel-de-Frigolet).

2. Avec Fernand Sardou et Rellys. L'atmosphère sur les plateaux où tournait Pagnol était toujours très joyeuse. Pendant *Les Lettres de mon Moulin*, au bar du studio avec Fernand Sardou, comédien et père de la grande vedette de la chanson Michel Sardou, et Rellys.

3. Sur le plateau de *César* : on reconnaît (de dos) Orane Demazis, Milly Mathis (assise). Debout à droite, Raimu.

2

3

1

Son héroïne favorite : sa femme

1. Jacqueline et Marcel Pagnol (1946). Quand on demanda à Marcel Pagnol en 1964 : « *Quelles sont vos héroïnes favorites dans la vie réelle ?* » sa réponse fut : « *Ma femme.* » Jacqueline, comme son mari, appartenait à une famille méridionale (du Gard). On trouve, dans son arbre généalogique, comme dans celui de Pagnol, beaucoup d'instituteurs et d'institutrices. Comme lui, elle a aussi un grand-père tailleur de pierre. Jean-Jacques Gautier dressant un portrait de Pagnol a écrit : « *Il y aurait aussi une autre toile à brosser : le portrait du couple : la blonde, la jolie, la gracieuse, la féerique Jacqueline Bouvier devenue Jacqueline Pagnol et renonçant, pour l'amour de son mari à... tout ce qui n'est pas ce qu'elle aime le plus. Et*

dans ce passage nous aurions Pagnol marié, époux épris, compagnon qui, de son œil d'anthracite, contemple assidûment une jeune femme irisée. » Marcel Pagnol et Jacqueline Bouvier « *étaient tous deux, écrit Gaston Bonheur, de la même race ombrageuse et gitane et elle sut être la tendre complice de ses faiblesses et de ses humeurs. Elle lui fit l'immense cadeau de ne jamais l'embourgeoiser. Elle accepta de partager, non pas les honneurs, non pas la facilité, mais la roulotte où il se plaisait fût-ce derrière la façade d'un hôtel particulier.* »

2. Dans les collines avec Marius Brouquier. Marcel fait faire à Jacqueline son pèlerinage aux collines.

1

Son œuvre a été jouée par les plus grands...

1. Emil Jannings - César. En 1934, le Dr Fritz Wendhansen, producteur et réalisateur, tourne à Berlin *Zum Schwarzen Walfisch (Le Port des Sept Mers)*, version allemande de *Fanny*, et confie le rôle de César à Emil Jannings, l'un des plus grands comédiens de l'histoire du cinéma. Emil Jannings avait joué le rôle du professeur Unrath dans *L'Ange Bleu* avec Marlène Dietrich.

2. Wallace Beery - César. Hollywood réalise en 1938 *Fanny* avec un scénario qui condense'en un seul film les trois titres de la trilogie. Le metteur en scène Preston Sturgess *(Les Voyages de Sullivan, Infidèlement vôtre)*, élevé à Paris, confie le rôle de César au célèbre comédien Wallace Beery, la vedette de *Viva*

Villa, de *L'Ile au Trésor*. Le décorateur avait reconstitué en studio un faux Marseille et un faux Vieux Port. La partie de cartes s'y déroulait à la terrasse du Bar de la Marine et c'est Maureen O'Sullivan, ancienne vedette de *Tarzan et sa compagne*, de *David Copperfield*.

3. John Barrymore - Topaze. En 1933, c'est John Barrymore, l'un des membres (avec Lionel et Ethel) de la fameuse famille d'acteurs américains, interprète de *L'Homme Invisible, Docteur Jekill et Mr. Hyde, Roméo et Juliette*, qui, le premier des grandes vedettes étrangères à jouer du Pagnol, tourne *Topaze*. Le rôle de Suzy — rebaptisée Coco — est joué par Myrna Loy.

2

3

...chantée à Broadway, tournée à Londres et à Hollywood

1. Le *Fanny* américain, tourné en 1966 à Marseille par Joshua Logan pour la R.K.O. Le scénario regroupait en un seul film les trois comédies de la trilogie *Marius*, *Fanny* et *César*. Les Américains avaient voulu confier tous les rôles à des acteurs — non pas méridionaux — mais européens. L'Italien Baccaloni jouait Escartefigue, le jeune premier allemand Horst Bucholz, Marius, Maurice Chevalier, Panisse. Charles Boyer interprétait César. Leslie Caron jouait le rôle de Fanny et Honorine était interprétée par Georgette Anys. C'était la seule actrice méridionale de la distribution. Le film connut un très grand succès partout sauf en France. Marcel Pagnol est ici, photographié sur le Vieux Port, au milieu de toutes les vedettes du film. De g. à d. : Baccaloni, Maurice Chevalier, Horst Bucholz, Charles Boyer, Marcel Pagnol, Georgette Anys et Leslie Caron.

2. Peter Sellers - *Topaze* (1961). Peter Sellers, vedette de *Tueur de Dames*, *Docteur Follamour* et *La Panthère rose*, en est à la fois l'interprète principal et le metteur en scène. Produit par la Fox, le film reprit à sa sortie en Angleterre, le premier titre de la pièce : *Monsieur Topaze*. Il est sorti aux Etats-Unis sous le titre *I like Money (J'aime l'argent)*.

3 et 4. *Fanny* à Broadway. Adaptée en comédie musicale pour le producteur David Merrick, par Joshua Logan avec une musique de S.N. Behrman, *Fanny* a été créée le 4 novembre 1954 au Majestic Theater de New York. Le rôle de César était chanté par Ezio Pinza, l'une des plus grandes vedettes de la comédie musicale, créateur de *South Pacific*. On le voit (à droite) chantant un duo avec Walter Slezac (Panisse). Marius et Fanny étaient interprétés par deux chanteurs d'opérettes, William Tabert et Florence Henderson (4). C'est cette comédie musicale que Joshua Logan tourna avec Maurice Chevalier et Charles Boyer (photo 1).

2

1

3

4

Le goût
des honneurs

1. L'inauguration du lycée Marcel-Pagnol. Pagnol avait un faible pour les honneurs. Il était très fier d'appartenir à l'Académie française. Il ne manquait jamais une occasion d'endosser l'habit vert. Mais la plus grande joie de sa vie fut d'inaugurer lui-même l'immense lycée construit dans la banlieue de Marseille, à Saint-Loup où son père avait été instituteur après avoir quitté Aubagne. Ce lycée, Gaston Defferre, le maire de la ville, et son conseil municipal l'avaient baptisé « Lycée Marcel-Pagnol ». La cérémonie se déroula en présence des autorités et des élèves, le 7 octobre 1962. *Je vous remercie, avec une grande et profonde émotion,* déclara Marcel Pagnol, *d'avoir inscrit sur la façade du plus beau lycée de France, mon prénom, suivi du nom de mon père, l'instituteur de Saint-Loup. »*

2. L'hommage de la télévision. La télévision française devait lui consacrer quelques grandes émissions. Le 26 mars 1960 fut diffusé un *Gros Plan* consacré à Pagnol et réalisé par Pierre Cardinal. L'émission fut entièrement tournée dans son hôtel particulier de l'avenue Foch. Le 5 mai 1966, André-S. Labarthe lui consacrait une émission de la série *Cinéastes de notre temps.*

3. Buste de Marcel Pagnol par Arno Breker (1963).

4. Président de la Société des Auteurs et Compositeurs dramatiques, la plus ancienne société d'auteurs dans le monde, fondée par Beaumarchais en 1777. Pagnol préside ici le congrès international des auteurs. A sa droite, Jean Mathyssens, directeur de la société, qui fut un des amis les plus fidèles et les plus assidus de Pagnol. A sa droite, Pierre Varenne, Jean Valmy, Claude-André Puget et Ugo Betti *(L'Ile des Chèvres).*

1

2

3

4

La dernière image

Au printemps 1973, Marcel Pagnol accepta de tourner, pour la Télévision française et Télécip, six émissions d'interviews qui devaient être programmées en novembre et décembre, sous le titre : *Morceaux Choisis*. Produites par Raymond Pellegrin et réalisées par Georges Folgoas, c'est Arno-Charles Brun, son vieux compagnon de *Fortunio*, qui en avait établi le scénario. Pierre Tchernia en était le présentateur et l'interviewer. A cette occasion, Marcel Pagnol, déjà malade, revint à Aubagne, à La Treille, dans les collines, et sur tous les lieux qu'il avait chantés avec un si grand talent dans ses *Souvenirs d'Enfance* et dans ses films. Un jour, Georges Folgoas vint tourner une séquence au château de La Buzine, dans le domaine où, enfant, il avait connu son angoisse la plus atroce et où il avait failli réaliser son rêve le plus audacieux. Le château était à l'abandon, menacé de démolition. On en avait fermé les volets pour la dernière fois en 1953 à la mort de Joseph Pagnol, son père et son dernier héros. Les ferronneries des balcons avaient subi les outrages du temps. A la fin de l'après-midi, Marcel Pagnol qui avait un goût secret pour la solitude, était parti sans personne pour une dernière promenade, à la rencontre d'on ne sait quels fantômes. C'est à cette occasion que Jean Lenoir, envoyé spécial de *Télé 7 Jours*, prit cette photographie. Le grand Marcel Pagnol, sa tâche terminée, sa mission d'homme remplie et bien remplie, s'en allant seul, d'un pas incertain, dans les allées envahies par les herbes folles, autour du vieux château rococo : c'est assurément l'image la plus émouvante de ses derniers jours.

Marcel Pagnol est mort le 18 avril 1974.

Choix de lettres

Vieux Vincent,

Il est onze heures du soir, je viens de
jouer de la guitare, et je pense à toi.
Çà m'arrive souvent, mais je ne te le dis
pas. Tu le sais. A quoi çà servirait de
te l'écrire ? Ce soir, çà me prend. Au
fond, nous sommes des salauds. On
s'aime, et on ne se le dit jamais. C'est
le caractère des gens de la méditerranée.

En jouant de la guitare, j'ai pensé
tout à coup que j'en jouais presque
aussi bien que toi. Mettons moitié
aussi bien. Et pourtant, je n'ai fait
ni la Tonkinoise, ni les Ponts de Paris,
ni "quand on aime", ni qu'il était
beau mon village," ni "j'ai deux amours",
ni "berise Provençale", ni.. Excuse
moi de ne pas te donner une liste
complète : j'ai des rendez-vous à huit
heures, demain matin, et çà me
prendrait presqu'à midi.

Ce n'est donc pas ta guitare qui a fait tes chansons. Si c'était elle, elle vaudrait cher.

———

Quand j'étais jeune, je pensais que Vincent Scotto était très grand, très fort, très supérieur, et méprisant. La vie m'a enseigné que les gens très gros et très forts ne savent faire que d'énormes merdes. Ce n'est pas un but estimable. Je me dis maintenant que j'aurais dû te voir, par la pensée, tel que tu es. Tu ne pourrais pas être autrement. Petit, râblé, joyeux, et bon jusqu'à la bêtise. Tu es tout écrit dans tes chansons — Je viens de lire un barème des vitesses maxima des animaux. Le gros cheval percheron peut atteindre 38 à l'heure. L'abeille, plus de cent. Il n'y a rien au monde qui te ressemble autant qu'une abeille.

Elle est sérieuse, elle est joyeuse, elle ne pique pas sans raison. Elle fait cent à l'heure. Et au lieu de merde elle fait du miel.

———

Il y a une chose admirable et terrible dans ton destin : ce que tu crées est si simple, et si près du cœur, qu'on ne demande jamais de qui c'est - comme pour les chansons populaires du vieux temps. Ainsi, tout le monde connaît le nom de Jacques Ibert, ou de Charpentier. Et on ne sait pas qui a fait "Auprès de ma blonde". Il est vrai que dans le cercueil des Grands Musiciens d'aujourd'hui, on pourrait mettre toute leur musique. Il ne restera d'eux ni un nom, ni un air. Toi, ton nom ne restera peut-être pas; tu ne t'en es pas assez occupé. Mais.

quand tu partiras, tu laisseras cent ou deux cent chansons, des sentiments à toi, des idées à toi, qui feront encore du bien à des gens qui ne sont pas nés. Et quand on demandera " Qui a fait cà "? Les grands Musicographes diront peut être " C'est du 19e ou du XXème siècle ". Crois tu que c'est beau, que ton nom soit remplacé par un siècle numéroté ? C'est comme cà qu'on parle de l'Iliade et de la chanson de Roland. On ne sait pas qui a fait ces chefs d'œuvres. On sait seulement qu'on les a, et que c'est une richesse pour l'humanité.

—

Il y a dans cette lettre une particularité étrange.

1. Elle n'apporte aucune nouvelle.
2. Elle n'en demande pas.

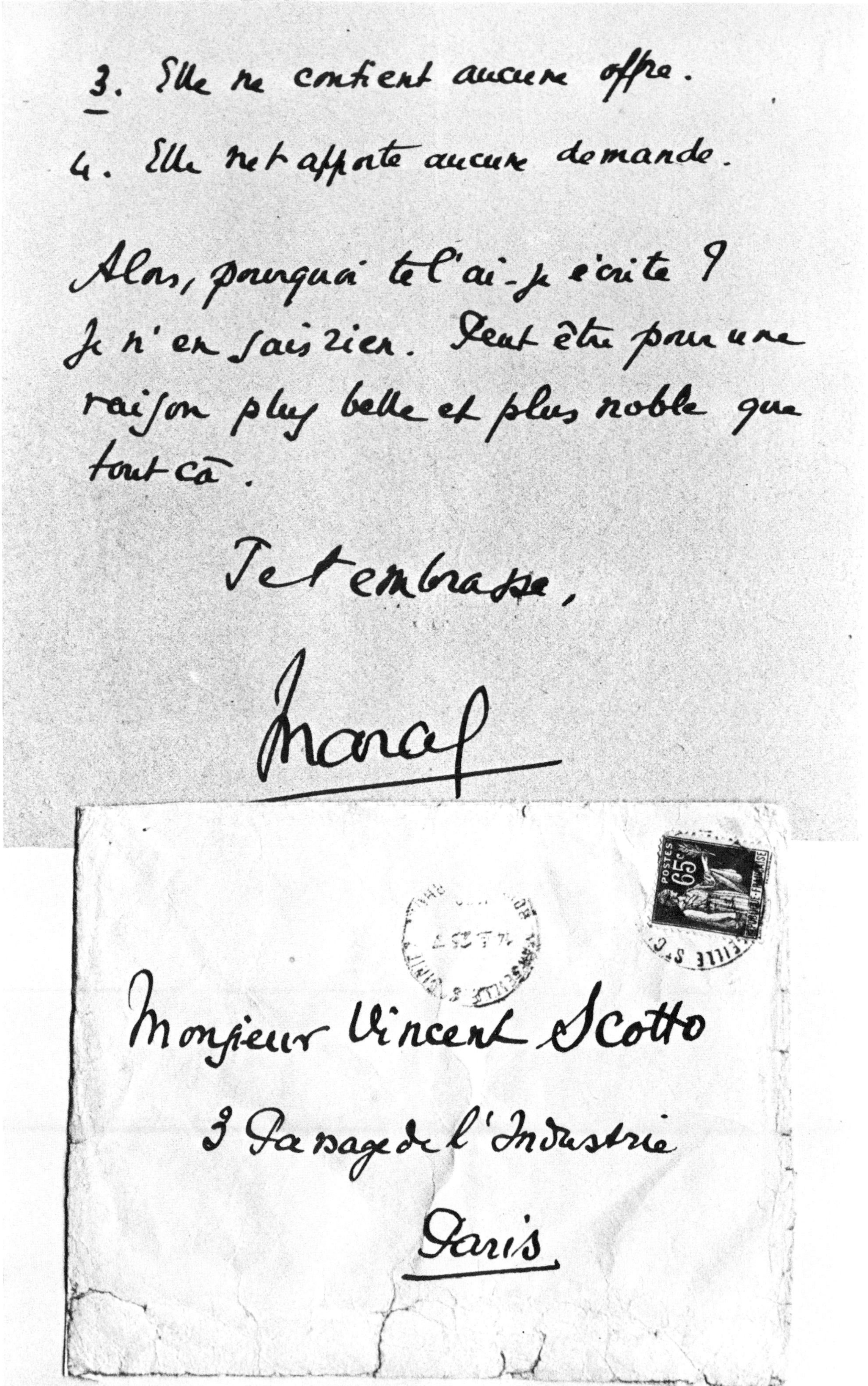

3. Elle ne contient aucune offre.

4. Elle net apporte aucune demande.

Alors, pourquoi te l'ai-je écrite ?
Je n'en sais rien. Peut être pour une
raison plus belle et plus noble que
tout ça.

Je t'embrasse,

Marcel

Monsieur Vincent Scotto

3 Passage de l'Industrie

Paris

Vieil Henri,

Cà me prend comme cà, brusquement.
Je suis en train d'écrire un film, sur
un vieux cahier de comptable que j'ai volé
au bureau de l'usine. Je t'écris à la
suite, et puis je déchirerai la page pour
te l'envoyer.

Ton article de Ciné'monde m'a fait
un très gros effet. Je ne saurai pas bien
te dire lequel. Tu sais qu'il y a des
moments dans la vie où on se sent très seul.
Surtout dans notre couillon de métier.
Un four noir vous écrase, et attire tout
un tas de rigoleurs. Un succès vous isole
complètement. les rigoleurs grincent des
dents, et ne sont pas plus gentils pour cà.
Evidemment, on a un certain plaisir
à voir jaunir la gueule des envieux et
des jaloux ; mais c'est un plaisir malsain,
et qui ne fait pas très plaisir.

Ton article est plein d'amitié, de la
vraie, de l'ancienne. Non seulement il
m'a fait plaisir, mais il m'a foutu le
cafard. Cà commence à sentir les
" Souvenirs", les " Mémoires". On s'approche
peu à peu du nécrologique ; et cette
tendresse ironique et discrète qui en
fait le charme et le prix, c'est exactement
celle que je ressens pour toi, pour Steve,
pour Marcel ; elle est un petit peu
humide de regrets. Il me semble qu'on
a perdu son temps à ne pas se voir, qu'on
a eu tort de devenir célèbres, qu'on n'a
pas été assez amis.

On s'est fait des maisons. On a eu des femmes qui achètent des rideaux, des moulins à café et même des meubles. Elles nous ont fait des intérieurs qui n'étaient plus des garnis ni des bistrots. Bref, on est cuit, on n'a même plus la force de répondre. Et c'est pour çà que les années passent si vite : c'est parce qu'on dort debout, on ne s'aperçoit de rien.

Je comprends maintenant pourquoi, à la mobilisation générale, les réservistes sont partis comme un seul homme. Çà ne leur plaisait pas d'aller à la guerre, mais çà les ravissait absolument de foutre le camp de chez eux. A la prochaine, çà sera pareil.

Et les Croisades, comme c'est clair, comme c'est logique ! C'étaient des Croisières, loin de la famille et de l'émouvant pays natal. Il y aurait un joli livre à écrire sur cette immense armée de cocus volontaires qui partaient pour le Saint Sépulchre comme on va au Père Lachaise, et dont la moitié se perdait en route, et surtout sur la Côte d'Azur. Va, va, ils ne se seraient pas perdus en Norvège : pas si cons.

Où est Steve ? Dans mon souvenir, il s'éloigne à une vitesse désolante. Je le vois pâle et gras et souriant. Où est-il ? Pour Marcel, c'est le cinquième frère Marx, une sorte d'américain de Lyon, qui fait des films très épatants on ne sait où ni pour qui. Je languis de les voir tous les deux.

Pour renouer une ancienne tradition, je t'envoie le manuscrit de mon dernier film. C'est un peu un brouillon, sur lequel je travaillerai encore en tournant. La dernière scène, en particulier, sera mieux. Si tu as un manuscrit à toi, envoie le moi, çà me fera plaisir.

Je t'embrasse,

Marcel

MARCEL PAGNOL

Le 2 Novembre 1942

à monsieur le Maire

d'Allauch.

Monsieur le Maire,

J'ai l'honneur de vous soumettre la proposition suivante:

Né à Aubagne, élevé à la Treille, j'ai toujours aimé, depuis ma petite enfance, le désert parfumé qui s'étend entre Allauch et Aubagne, et j'ai toujours regretté que ces collines fussent un désert.

2

Dès que j'ai eu quelque argent, j'ai acheté, sans aucun motif de lucre, des parcelles de terrains qui ne portaient aucune culture, mais beaucoup de poésie.

Plus tard, j'ai tourné dans ces collines trois films : Jofroi, Angèle, Regain, pour lequel j'ai bâti un village — mais par malheur, un village en ruines.

Je voudrais maintenant, en souvenir de mon enfance, et pour honorer la mémoire de mon frère Paul Pagnol, mort à 34 ans, et qui fut le dernier chevrier des collines d'Allauch, y construire non plus un village mort, mais une ville vivante.

J'ai eu l'honneur de soumettre, il y a plus d'un an, une proposition d'achat de plusieurs parcelles communales au conseil municipal d'Allauch. Monsieur le receveur des domaines, consulté, eut la bonté de me rendre visite, et fixa le prix de ces parcelles, situées entre le vallon des Escaouprès et le chemin d'Allauch à Garlaban, à 85.000 francs.

J'acceptai ce prix, mais je ne reçus jamais l'acceptation du conseil municipal d'Allauch.

Je vous demande aujourd'hui, monsieur le maire, si mon offre est toujours intéressante pour la ville d'Allauch, et quelle suite vous avez l'intention de lui donner. En ce qui me concerne, mes intentions n'ont pas changé.

Je vous prie de croire, monsieur le maire, à mon très grand amour pour nos collines, et à mon profond respect.

Marcel Pagnol

Petit Roger,

Tu recevras une visite – ou un téléphone – de Jacqueline Bouvier, qui doit me rapporter de tes nouvelles, et te donnera des miennes. Je sais que tu es vivant, en cette saison, c'est énorme.

Je travaille farouchement à des films. Et toi ?

Je t'embrasse,

Marcel

26 Nov. 1950

Mon cher Albert,
Il faut que je te fasse du
sentiment. O Albert, et
mon affiche pour Topaze ? Cher
Albert, pense que ce sera la
premierè illustration de notre
prochain volume. O Albert,
je t'embrasse, et je t'attends
devant de grandes nourritures
au restaurant Alexandre,
Mardi ou Mercredi, comme il te
plaira.

Si tu m'apportes l'affiche, ne
me le dis pas tout de suite,
mais laisse le moi soupçonner
peu à peu.

affectueusement

Marcel

P.S. Topaze s'appelle Albert.

30 Déc. 55

Mon beau Tino,

Nous buvons le champagne à
ta santé, et à l'énormité de
ton succès, comme si c'était le
nôtre. J'ai reçu tes recettes, et
je les déguste ! Parfait pour
les envieux, les jaloux, les salauds.
Il doit y avoir, derrière
certains embouliques, de petites
sources de bile bien amère.
C'est bien fait, paraque c'est
justice !

Je t'embrasse de tout cœur,

Marcel

Marseille
14 Septembre 65

Mon beau Georges,

Je suis désolé de ne jamais te voir,
même quand tu viens à Paris. Le temps
passe aussi vite qu'un spoutnik, et
je viens de franchir le mur de la
septantaine, sans le moindre "bang"
pour m'en avertir. Je vois bien qu'il
faudra aller vous embrasser en Suisse.

Si tu dois venir à Paris bientôt
préviens moi. Mais la montagne ne
veut pas venir au prophète, le prophète
ira à la montagne...

Je t'embrasse

Marcel

P.S. Je continue mes recherches sur le Masque de Fer, et je reçois des centaines de lettres. Presque toutes me félicitent d'avoir parlé librement de Louis XIV, mais trois ou quatre femmes m'injurient violemment. La presse est bonne, mais j'ai été stupide. J'avais conseillé à l'éditeur de ne pas tirer plus de 25 000, parceque les livres d'histoire ne se vendent pas comme des romans, et les vingtcinq mille étaient partis au 14 Juillet... Imprimerie fermée, on retire en ce moment.

Affectueusement

Marcel

Paris 3 Novembre 69

Très cher Révérendissime.

A la naissance de Louis XIV, il y avait une quarantaine de hauts personnage de la Cour. A peine né, l'enfant est ondoyé en ~~un~~ dix minutes, puis Louis XIII emmène instantanément toutes les personnes présentes, sauf la sage femme, à la Chapelle du château (de Saint Germain) pour célébrer tout de suite un Te Deum. Ceci ne me semble pas naturel. Je crois que le Te Deum est une cérémonie solennelle, dans une cathédrale, ou une basilique, et non pas dans une chapelle.

Quelles sont les règles liturgiques d'un Te Deum ? Combien faut-il de prélats, de chantres, de desservants ? Voilà ce que vous pouvez me dire.

J'ai l'impression que l'extrême-urgence de ce Te Deum n'a pas d'autre but que de faire évacuer la chambre de la reine, parceque le roi sait que le second jumeau va naître, et qu'il faut à tout prix cacher cette naissance.

La naissance d'un dauphin, attendue et espérée pendant 24 ans, était un évènement miraculeux et solennel. J'aurais compris ~~que~~ un Te Deum à Notre Dame, avec cinquante prélats, cent chantres, toute la Noblesse, l'Armée, la Marine, la Cour entière, et le peuple.

Ce Te Deum à la sauvette, devant cinquante personnes me semble extrêmement suspect, et probant. Qu'en pensez-vous ?

Quand venez vous dîner à la maison, avec notre cher Guitton ?

Je vous embrasse,

Marcel

Paris 22 Mars 1970

Mon cher Albert,

Quel déluge d'éloges! C'est un scandale de succès _ et tu l'as bien mérité par ce miraculeux doublé _ Tu es maintenant au tout premier plan, et assuré d'y rester dans le plus lointain avenir

Travaille immédiatement : tu es en état de grâce, il est visible que Jéhovah te soutient _ Quand viendras-tu à Paris ?

Nous t'embrassons de tout cœur !

Marcel   Jacqueline

le couple de

Cette faculté de décomposer deux nombres premiers en 4, 5, 6

avec le 1ᵉʳ, j'en fais 3. + le second = 4 je décompose le second. j'en obtiens 3. au total, 6.

Si je puis décomposer ces 6 nombres premiers, j'en aurai 18, qui sont la somme de deux premiers ~~et la~~ dont ~~somme et~~ la somme est un nombre pair.

Si je puis faire 32 avec la somme de 6 nombres premiers, je puis ensuite les réduire à 2.

$$1 + 3 + 5 | + 7 + 11 + 5 \quad . .$$

$$1, 3, 5 + \quad 1 + 3 + 7 . 5 .$$

$$1 + 3 + 5 = 9$$

$$1 + 3 + 5 | + 23$$

$$1 + 3 + 7 | + 5 + 1$$

Crédits photographiques

Collection personnelle Marcel Pagnol : Pages 6-7 (1). 10-11 (1, 3). 12-13 (1, 2, 3, 4, 5). 14-15 (1, 2). 16-17 (1, 3, 4). 18-19 (1, 2, 3). 24-25 (1). 26-27 (1, 3). 32-33 (1, 2, 3, 4). 38-39 (2, 4). 56-57 (1). 58-59 (3). 66-67 (1, 3). 78-79 (1). 84-85 (1). 86-87 (1). 88-89 (1). 94-95 (2). 97-98 (1). 98-99 (1, 2, 3). 110-111 (2, 3). 116-117 (1, 2, 3, 4). 118-119 (1, 3). 120-121 (1, 2). 122-123 (1, 4, 5). 136-137 (2, 5). 138-139 (1, 2, 3). 140-141 (1, 2, 3, 4). 142-143 (1, 2, 3, 4). 144-145 (1, 2, 3). 146-147 (1, 2, 3, 4). 148-149 (1, 2, 3). 150-151 (1). 152-153 (3).

Les Fims Marcel Pagnol : Pages 60-61 (1, 2, 3, 4, 5). 64-65 (5, 6, 7, 8, 9). 68-69 (1, 2, 3, 4, 5, 6). 74-75 (3, 4). 78-79 (4, 5, 6, 7). 82-83 (1, 2, 3, 4, 5, 6). 84-85 (3). 86-87 (2, 4, 5, 6, 7). 88-89 (4, 5). 90-91 (2, 3, 4, 5, 6, 7). 94-95 (3, 5). 100-101 (4, 6, 7). 102-103 (1, 2). 106-107 (1, 2, 3, 4, 5). 112-113 (1, 3, 4, 5, 6, 7, 8). 118-119 (2, 4, 5, 6, 7). 122-123 (6, 7, 8, 9). 124-125 (1, 2). 126-127 (1, 2, 3, 4). 128-129 (1, 2, 3, 4, 5, 6). 154-155 (1, 2).

Les Films Eminente-Martinetti : Pages 122-123 (2, 3).

Documents Jean Dubout : Pages 66-67 (4). 84-85 (2). 86-87 (2). 92-93 (2). 100-101 (3). 112-113 (2).

Cinémathèque Française : Pages 72-73 (3, 4). 76-77 (6, 7). 88-89 (6, 7). 92-93 (3). 94-95 (4, 5). 98-99 (4). 100-101 (5). 106-107 (6).

Agence A.G.I.P. : Pages 114-115 (1, 2). 144-145 (3).

Collection « Le Cri d'Aubagne » : Pages 8-9 (2, 3). 10-11 (2, 4). 24-25 (2).

Photos « La Petite Illustration » : Pages 42-43 (6). 44-45 (5, 6). 48-49 (1, 2, 3). 52-53 (1, 2, 3). 54-55 (1, 2).

Photos Roger Violet : Pages 40-41 (1). 54-55 (3). 120-121 (3, 5, 6). 130-131 (2, 3).

Documentation Bibliothèque de l'Arsenal : Pages 42-43 (1). 46-47 (9). 50-51 (2, 3). 58-59 (1, 2). 62-63 (1, 3). 64-65 (4). 72-73 (1, 2).

Photos Dazy : Pages 42-43 (2). 46-47 (3). 64-65 (1).

Collection André Bernard : Pages 46-47 (2, 4, 5, 6, 7, 8). 48-49 (4). 80-81 (1).

Svenska Filminstitutet : Pages 62-63 (5, 6).

Deutsches Institut Film : Pages 62-63 (7, 8).

Reprographie de Marseille : Pages 22-23 (1, 3). 28-29 (1, 2). 30-31 (1, 2). 32-33 (1).

Photos Roger Corbeau : Pages 70-71 (1). 74-75 (1, 2). 90-91 (1). 92-93 (1). 94-95 (1). 100-101 (1). 138-139 (4). 148-149 (4). 154-155 (3).

Collection Toë : Pages 72-73 (5, 6). 76-77 (5). 78-79 (3). 88-89 (3).

Collection Giordani : Pages 104-105 (1, 2, 3, 4).

Photos Dresse : Pages 8-9 (1). 34-35 (3, 4, 5, 7). 36-37 (2, 3, 5). 114-115 (5).

Collection Richard Marseille : Pages 22-23 (2).

Collection Carlo Rim : Pages 30-31 (3). 34-35 (6). 38-39 (3).

Photo-Sport Baudelaire : Pages 34-35 (1). 36-37 (1). 66-67 (2).

Collection Maurice Grimaud : Pages 38-39 (1).

Collection Claude Jeanson : Pages 108-109 (1). 150-151 (3).

Photos Yvon Beaugier : Pages 132-133 (4).

Photos Edgar Quinn : 136-137 (1).

Photos Jeannelle : Pages 136-137 (4). 146-147 (4). 152-153 (1).

Photo Lenoir 7 Jours : Pages 136-137 (3). 150-151 (4). 164-165 (1).

Photos Nick de Morgoli : Pages 110-111 (4). 148-149 (1).

Photo Domenech : 150-151 (2).

Photo Le Provençal : Pages 154-155 (1).

Photo de Hoë : Pages 154-155 (4).

Photos 7 Jours : Pages 154-155 (2).

Achevé d'imprimer
sur les presses
de l'Imprimerie Moderne du Lion
Papier : JOB
Composition : Publications-Elysées
Photogravure : La Photogravure
Maquette :
Jean-Pierre Rosier

Il était une fois... Marcel Pagnol

350 photographies, gravures et documents
réunis et légendés par son ami Raymond Castans,
racontent la vie, la carrière, l'œuvre et la gloire de celui
qui fut l'auteur dramatique français le plus joué dans le monde entier,
le « premier auteur cinématographique de son époque » selon Jean Renoir,
et enfin le grand écrivain dont les souvenirs d'enfance
ont enchanté des millions et des millions de lecteurs.
Une merveilleuse histoire humaine
placée sous le signe de la grâce, du bonheur et de la réussite
dans la fidélité à son pays natal : la Provence.

ISBN